ÚNA NÍ MHAOILEÓIN

✻✻✻✻✻

Le Grá Ó
Úna

❋❋

SÁIRSÉAL AGUS DILL
BAILE ÁTHA CLIATH

An Chéad Chló 1958

As an gcéad eagrán den leabhar seo clódh 30 cóip ar chartrais
Swiftbrook agus d'uimhrigh agus shínigh an t-údar iad; clódh
1500 cóip ar pháipéar seanda agus 2000 cóip ar nuachtpháipéar

ROIMHEOLAS

MISE a dúirt gur cheart na litreacha a fhoilsiú. Ar ndóigh, cheap muide i gcónaí go raibh Úna go hiontach. Bhíomar mórálach aisti nuair a stiúraigh sí Glún na Buaidhe timpeall an Tulaigh Mhóir ag canadh Amhráin Nollag i nGaeilge. Ar son na Gaeilge, dúirt sí, a rinneadh é. Bhíomar mórálach aisti nuair a strac sí an póstaer maíte ón eaglais Phrotastúnach ar lá V—cé go rabhmar ag éirí beagán imníoch. Nuair a chroch sí na brait urláir ar na fuinneoga, agus gur leag sí na cuirtíní ar an urlár, bhí fhios againn gur éan corr a bhí inti. Mar sin ní raibh mórán iontais orainn nuair nár fhan sí i gColáiste na Tríonóide fada go leor le céim a bhaint amach. Ba shoiléir faoi seo nárbh iad na gnáthnósanna a leanfadh Úna in aon chás.

Ach bhíomar mórálach aisti i gcónaí. Cé go raibh imní orainn, beagán. Cé an chaoi a mairfeadh

sí? Cá bhfaigheadh sí post? An gcoinneodh sí
post dá bhfaigheadh sí ceann?

Fuair sí post, ar ndóigh. Post maith, agus
choinnigh sí é go dtí gur éirigh sí tuirseach de.
Ansin fuair sí post eile. Post níos fearr. Díreach
shiúl sí isteach agus thóg sí é, faoi shróna na
scórtha a bhí oilte don sórt sin oibre, a raibh
taithí acu ar an ngnó sin, a bhí stuama, tuisceanach,
ciallmhar. Cé an fáth nach dtógfadh?

Choinnigh sí an post sin fada go leor, cé go
raibh sí ag éirí tuirseach de le tamall roimh an deir-
eadh. Faoi seo bhí cúpla carr curtha di aici.
An Flivver ar dtús. Go dtí an Fhrainc a bhí sí
ag dul, ar saoire, ag síobthaisteal, í féin agus
Máire, colceathar a bhí roinnt cosúil léi féin.
Faoi seo, bhíomar imníoch i gceart. Ar ámharaí
an domhain, d'aimsíomar an Flivver. Ní raibh
aon díon air, ná aon doras, ach bhí ceithre roth
faoi agus inneall beag maith faoina bhrollach, agus
thit sí i ngrá leis. Cheannaíodar é le luach na
dticéad agus as go brách leo timpeall na hÉireann.
Ar an mbealach a d'fhoghlaim siad le tiomáint,
agus a bhaineadar amach ceadúnais. Nuair a
shroicheadar an Cheathrú Rua, áit a raibh mise
san am, stop an Flivver. Bhrúmar agus bhrúmar—

mise agus Máire agus Pádraig Phatch agus Beartlaí
Choilm agus Máirtín Sheáinín Sheáinín, agus
Caitríona (2 bhl̃iain). Sa deireadh thuirling
Úna thar taobh an Flivver agus chuir sí isteach
mise agus bhrúigh sí féin. Ar ndóigh, thosaigh an
carr ansin. Chaith sí Caitríona isteach sa chúl.
'Ar aghaidh leat,' ar sise, 'ná stop!'

Ar aghaidh linn—suas an Gleann Mór, mise
agus Caitríona. Gach uair a bhuaileamar cnapán
sa bhóthar, léim an Flivver, agus caitheadh
Caitríona in airde san aer. An mbeadh an carr
fúithi nuair a thitfeadh sí? Ach dúirt Úna gan
stopadh, agus níor stop, go dtí go raibh an timpeall
déanta, agus buíochas le Dia go raibh Caitríona
slán sa chúl.

'Arís,' ar sise.

Deineadh smidiríní den dara carr—ceann ard-
nósach—ag cúinne Shráid Chuffe, ach faoi seo
bhí a cuid fostaitheoirí (moladh go deo lena
dtuiscint) ar aon intinn linne faoi Úna bheith go
hiontach, agus thugadar féin carr di.

Bhí ag laghdú ar an imní. Bhí post aici, bhí
meas uirthi ann, d'fhéadfadh sí socrú síos anois.
D'fhéadfadh.

Ansin bhuail bus í féin agus an carr. Ar ndóigh,

bhuailfeadh. Scaoileadh teasc ina muineál, sin a dúirt na dochtúirí, ach scaoileadh freisin an éagsúlacht, an dúil san eachtraíocht, an mhífhoighne le caighdeáin agus le comhrá na ngnáthdhaoine, a bhí beagnach plúchta faoin ollmhaitheas.

Chaith sí tamall sínte san ospidéal, a cloigeann ar sileadh, mála gainimh ar crochadh uaidh. Scáthán an chairr (briste) a bhí aici leis na daoine a fheiceáil.

Chuamar go léir ar cuairt chuici, ar ndóigh. Go leor daoine eile freisin. Cineál nach bhfaca muide cheana, cé go raibh seanaithne acu (ba léir) ar Úna. Cé an sórt aithne? Raibh sí socraithe síos?

Sin iad na ceisteanna a hardaíodh inár n-aigne nuair a chonaiceamar na cuairteoirí. Bhíodar ann i gcónaí. Ní bhfuaireamar riamh ina haonar í. Agus bhíodh náire ormsa m'ubh donn circe agus mo mhám beag bláthanna brónacha as gairdín an gheimhridh a thaispeáint nuair d'fheicfinn na rudaí a thug na cuairteoirí seo—*Ealaín na hAthbheochana*, *The Golden Ass*, boscaí Chamembert, crúscaí Ghambone, leabhráin de Phicasso (tréimhse bhreac) agus cíor mheala (mil na hÉigse?). Agus iad féin—féasógach, ardnósach, tarcaisneach (na fir); nó díograiseach, spotach, tarcaisneach (na mná).

D'fhág sí an t-ospidéal agus bóna iarainn fána smig agus í ag breathnú anuas orainn go léir dá thairbhe agus d'fhógair sí go raibh sí le pósadh.

'Na habair tada léi,' arsa Eibhlín, 'agus b'fhéidir go ndéanfaidh sí dearmad de.' Mar sin níor fhiafraíomar di ach cé acu.

D'inis sí dúinn—ach ní hé siúd a bhí léi nuair casadh orainn í ar an mbóthar go Contae an Chláir.

Bhain sí an bóna iarainn, cheannaigh sí píosa síoda dheirg agus rinne sí gúna le dul go dtí an Túinis (mí na meala?).

Ansin rinne sí sciorta stríoctha agus clóca glas le dul go dtí an Iodáil le staidéar a dhéanamh ar photaireacht.

Faoin am seo bhíomar caite amach. Chaill Ailbe dhá phunt meáchain agus bhí mise ag éirí liath. (Potaireacht? Pótaireacht? Pósadh? Gan pósadh?)

D'imigh sí, agus thosaigh na litreacha ag teacht. Síochánta go leor ar dtús.

'Déanfaidh sé maitheas di,' arsa Pop.

Ansin d'athraigh an seoladh.

Agus bhí pictiúir bheaga anseo is ansiúd ar fud

na leathanach.

'Is follas go bhfuil sí ag baint an-spraoi as an saol,' arsa Pop.

Is duine neamhurchóideach é Pop. An créatúr. Bhí sé cruógach ag an am seo.

'Pop,' arsa mise lá amháin, 'ba cheart duit leabhar a scríobh'—phós mise foilsitheoir.

'Ceart go leor,' arsa Pop, 'tabhair dom píosa páipéir.'

Thugamar neart páipéir dó, agus is ar an leabhar is mó a bhí sé ag smaoineamh ina dhiaidh sin.

D'athraigh an seoladh arís, agus bhí an Meiriceánach seo ar fud na leathanach. Cion aici air, cheapfá.

Ach tá sí mór anois. Tá sí ábalta breathnú amach di féin. Ar ndóigh, tá.

10 bpunt a bhí caillte ag Ailbe anois, agus bhí mise liath ar fad. Ach bhí biseach ar othras Sheáin (m'fhear céile).

Bhí na litreacha ag teacht i gcónaí. Chuig Eibhlín a seoladh an chuid is mó acu agus thugadh Eibhlín domsa iad. Agus choinnigh mise iad.

Agus dúirt mé gur cheart iad fhoilsiú.

Seo iad na príomhcharachtair:

Úna: Bhíomar i gcónaí mórálach aisti, agus tá go fóill . . .

Na Mímhí: Sin muide: Eibhlín; Síle (pósta i Meiriceá); Ailbe (a chaill 10 lb., a tá pósta le Sinéad agus ag obair i gCathair na Mart); Máirín (pósta i gCorcaigh—uaireanta tugtar na Corcaígh orthu); Bríghidín (sin mise, pósta le Seán); agus Pop (scríbhneoir a bheas clúiteach).

Na Gaolta Eachtracha: daoine muinteartha linn i Londain a mbíonn muid ag magadh fúthu, ach go bhfuil an-chion againn orthu.

Tess: duine de na G.E.

Berengaria: cailín Gearmánach a chaitheann seal leis na Mímhí ó am go ham.

Mavis: cara linn nach gcuireann aon am amú, agus a raghaidh go dtí an Iodáil.

Peig: cara eile.

Pat: cara cultúrtha le Úna a dúirt: 'Actually I'm rather good at it.' Céard? Ní cuimhin liom.

A cara seanda: Mrs. Hewitt (Call me Anna, dear), ceannaí ealaíne Rúiseach as Londain.

Pier: Ní raibh fhios againn féin faoi seo go dtí gur léamar an chéad litir.

Randy: Nílimid cinnte faoina sheasamh seo. Deir

sí féin 'An Meiriceánach a chaitheann seaicéad ildaite.'

John S.: cara le Úna.

Valerie: mac léinn potaireachta i bhFirenze, Meiriceánach.

Rita: mac léinn potaireachta i bhFirenze, as Cill Choinnigh.

Riccardo as San Salvadore: nár tháinig ach uair sa mhí.

Stanley: cara a thug comhairle di faoin Iodáil.

Maire P.: cara le Úna a chuaigh go dtí an Iodáil roimpi, agus a scríobhfadh leabhar faoi mura mbeadh an Cinseoir.

Zanobi: an ghríobh, an t-aon rud a thug Úna abhaile léi ach amháin na buidéil Millefiori a thug sí dúinne.

Cian agus Aoileann: mo pháistí.

Mac an tSiúcra: a rinne a dhícheall leis an teasc a chur ina háit.

Mar nod don léitheoir is ceart a mhíniú nár thug Úna pota ar bith abhaile léi. Ná Randy. Go bhfuil an teasc ina muineál scaoilte go fóill, ach go bhfuil sí ag breathnú go hiontach!

A Eibhlín a ghrá,

Well. Tá mé ar mo bhealach go Firenze—cé nár chreid sibh riamh go mbeinn—fiú amháin i ndiaidh na Tunisián wakes agus na bronntanais. Ar ndóigh, bhí mé cúig bliana ag caint ar dhul go dtí an Túinis agus níor dhúirt mé focal faoin Iodáil go dtí coicíos ó shin. Ba dheas uaibh ar fad agus ó na comharsana agus na cairde teacht chuig an mbád liom—ach ar ghá díbh bheith chomh gealgháireach sin agus mé ag dul amach sa tsaol mór? Ní fhaca mé sibh ag aontú le chéile riamh mar a dhein sa slán-leat-buíochas-le-Dia-go-bhfuil-sí-imithe!

Níor stop mé i Londain le beannú do na Gaolta Eachtracha. Chuaigh mé díreach go Páras, áit a raibh Pier romham ag an traen. Mhúscail sé ar 5 a.m. mé le soupe aux oignons a ól i bPlás an Mhargaidh. A leithéid! Agus ansin shiúl sé suas agus anuas mé go bhfeicfinn Páras. Theastaigh uaidh an tArty Set a chur in aithne dom. Ní thuigfeadh sé nár thaithnigh arty sets liom—cé gur dhóbair dom ceann a phósadh le gairid—

mar sin thug sé chuig arty party mé. Ní raibh sciorta ar aon duine ach orm féin amháin. Na mná eile—ard agus caol, i mbrístí, gruaig fhada agus rosc-scáil. Mhothaigh mé nocht ionam féin gan ghruaig ná eye shadow agus mímhorálta i sciorta. Thaispeáin siad pictiúr dom agus cheap mé go raibh sé slán a rá gur thaithnigh an fhoirm liom, ach chogair P. gurbh é an easpa foirme an pointe sa phictiúr seo. Ina dhiaidh sin níor oscail mé mo bhéal ach le vin rosé a ól agus bhí áthas orm i mo cheo meala meisce nuair dúirt P. go raibh sé in am dul chuig an Rome Express. Dhein mé iarracht cur ina luí air gur go dtí an Túinis a bhí mé ag dul ach ní éistfeadh sé liom. Rop sé sa Rome Express mé le buidéal vin rosé ar eagla na maidne brónaí, agus nuair a bhí sin ólta agam ba róchuma an Róimh nó an Túinis agus thit mé i mo chodladh.

Nuair a dhúisigh mé bhí meáchan millteach i mo chloigeann agus bhí trí teasca sleamhnaithe i mo mhuineál in áit an chinn amháin agus níor theastaigh uaim ach dul abhaile chuig Mac an tSiúcra le go yankfadh sé ar ais dom iad. Ach fán am seo bhí muid san Iodáil agus bhí an carráiste lán le Italiani agus ní fhéadfainn smaoineamh ar mo

chuid trioblóidí lena raibh de stró orm ag freagairt
a gcuid ceisteanna. Thuig siad mo chuid Italiano—
an beagán nach bhfuil agam—ach níor thuig mise
focal dá raibh á rá acu siúd. Ach chuir siad ceist
arís agus arís go bhfuair siad freagra sásúil. Cé
arb as dom? Cé an aois a tá agam? Bhfuil mé
pósta? An fhaisnéis is príobháidí. Bhí bia agus
deoch agus sticky toffee leo agus roinn siad liom
é ar fad.

Tá an R. E. imithe go Roma agus tá mé anseo
i bPisa ag feitheamh le traen go Firenze.

Tá áthas orm go bhfuil mé anseo san Iodáil sa
deireadh. Tá áthas orm go mórmhór á bheith
imithe as Bleá Cliath. Tá mé uaigneach in bhur
ndiaidhne agus i ndiaidh an ghlac bheag cairde
a tá fágtha ansin agam, ach maidir leis an gcuid
eile . . . Chun diabhail leo! Bhí mé chomh
tuirseach den mhonarcha bhróg inar chaith mé
cúig bliana ag deighleáil le lucht na siopaí agus
lucht fógraíochta, an mhórchuid acu gan béasa
ná éirim aigne agus gan d'ábhar cainte acu ach bróga,
bróga, bróga. Tuirseach de bheith ag siúl suas
anuas Sráid Ghrafton, ag beannú do na daoine
céanna trí huaire sa ló. Tuirseach de dhaoine
ag cur tuairisce mo mhuiníl. 'Nach bhfuil biseach

air fós?' De bheith ag ól in ósta Davy Byrne leis
an gCineál Ealaíonta—ag comhrá faoin gCultúr le
daoine a bhí chomh haineolach liom féin, ach a
chreid, ar nós Pat, 'nach rabhdar an-dona ina
bhun.' Tuirseach den bháisteach agus den fhuacht.

Bhí an oiread sin cloiste agam faoin teas san
Iodáil. Faoin tír iontach seo—chomh beo léi,
chomh bríomhar is a tá na daoine agus chomh
lán is a tá siad le cultúr, nach bhféadfainn fanacht
sa bhaile níos mó. Ach tá sórt faitís orm go mbeidh
mé róshimplí dóibh anseo. Nach mbeidh mé
ábalta labhairt leo in aon chor. Ach ní bheidh,
siúráilte, agus mé gan Italiano, agus fán am a
bhíonn an teanga agam seans go mbeidh beagáinín
den chultúr agam freisin. Agus an creideamh a tá
acu anseo (chuala mé). Nuair a bhíodh mise ag
caint ar an gcreideamh a tá faoin tír in Éirinn,
deireadh Pat—'Ach fan go dtéann tú chuig an
Aifreann san Iodáil. Ansin atá an fíorchreideamh.'
Ach b'eisean a dúirt liom freisin aire a thabhairt
dom sparán. Arsa Stanley, 'Cuirfidh an bia
múisiam ort;' agus arsa Mavis, 'Leanfaidh na
fir thú an t-am uilig.' Dúirt daoine eile, 'Tá siad
iontach dairíre,' agus duine eile 'Ná creid focal
uathu.' Ach bhí siad ar fad aontaithe faoin gCultúr.

Mar sin tá mé sásta go bhfuil mé le mo thomadh ann, agus b'fhéidir go bhfaighinn an oiread de anseo is a fuair mé i gColáiste na Tríonóide fadó.

Anseo a tá an Túr Crochta ach tá mé róthuirseach anois le dul ag breathnú air. Beidh mé gar go leor dó agus tiocfaidh mé air lá eile. Beidh mé i bhFirenze i gceann uair an chloig. Scríobhfaidh mé arís as sin. Beidh mé tigh Mhorandi. Áit deas ar nós an bhaile í seo, deir Mavis liom, agus Béarla acu ann.

Le grá ó
Úna

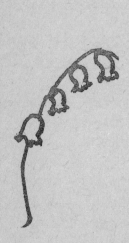

A Eibhlín a ghrá,

Ní raibh mé ábalta scríobh roimhe seo—stailc phoist. Dáiríre . . . Tá mé le La Morandi go fóill. Leagan críonna de Mháire Áine s'againne— an Díograis Chreidimh agus Cruacha Glas' na hÉireann. D'fhág sí Baile Chaisleán mhic Eochagáin 60 bliain ó shin ach canann sí *God Save Ireland* fós—mar sin tá sé in am agamsa imeacht. Tá brú álainn ann, an Villa Fabricotta—ar bharr cnoic agus in the Grand Manner—ach lán le Americani agus is leor sin. Ach tá mé tógtha isteach ina croí ag Mrs. M. agus tá sí ag lorg seomra shaoir—in a Nice Catholic House—dom. Tá cailín as an Tulach Mhór sa teach seo ag tabhairt aire do na garmhic.

Tuigeann na hItaliani mo chuid Iodáilise— absoluto. Ní thuigimse iad siúd mórán ach níl ansin ach mionrud. Cé arb as dom? Cé an aois a tá agam? Bhfuil mé pósta? Ní fiosrach a tá siad, sílim, ach cairdiúil. Yank an-tógtha le mo chlóca. 'National Costume?' Cheap sé go raibh mo chuid

Béarla 'quite good—for an Italian.' Thóg sé
pictiúr díom—'I'm writing up Italy for my little
magazine back home.'

Chuaigh mé amach ag lorg páipéir scríofa.
Go leor le fáil—bándearg agus cumhra, nó
maisithe—fiú amháin na cóipleabhair. Not the
thing, a déarfadh Mama.

Tá boladh meánaoiseach ar an áit ar fad—dusta,
marmar agus miorr. Droch-chamraíocht, fuair
mé amach níos moille. Sean, maorga, ciúin, a
tá an baile. Cloch, marmar agus adhmad—gan
mórán plástair ná péint—sráideanna pábháilte,
saothar Mhichelangelo, Dhonatello, Leonardo agus
na ndaoine móra ar fad i ngach áit. Níl cuaille
sráide sa chathair nach go healaíonta a tógadh.
Níl aon seó mór mar a tá sa Róimh—ach é i bhfad,
i bhfad níos deise. Ina dhiaidh seo ar fad bheadh
tú ag súil go mbeadh muintir Fhirenze maorga
freisin, ach cé go bhfuil siad lách—absoluto—
obair ar leataobh le cuidiú leat—agus cé go
bhfuil sáreolas acu ar stair agus ealaín na háite,
níl aon uaisleacht nádúrtha iontu—mar a tá sna
Gréagaigh agus sna hÉireannaigh. Mar a feictear
dom fós iad ar aon nós.

Pósann siad óg. Má bhíonn dáréag clainne acu

bíonn siad saor ó gach cáin go deo, mar sin
bíonn go leor páistí acu. Na páistí céanna sciom-
artha agus gléasta go hálainn—ach ní cuirtear
srian ar bith leo. Ní heol dóibh gnáth-dhea-
bhéasa. Ach is dócha gur leor an mheallachtacht.
Cailín aimsire i ngach líon tí—sclábhaithe ón
deisceart. Ar ndóigh téann siad ar an margadh
faoi dhó sa lá agus tógann sé ceithre huaire béile
a ullmhú—faoi dhó freisin. Itheann siad i bhfad
an iomarca—cúig cúrsaí, iad ar fad mór, i ngach
béile, agus caife agus císte milis, maosach, idir
dhá linn. Sna háiteanna Non parla Inglese bíonn
an bia saor agus de ghnáth go maith. D'aimsigh
mé áit inar féidir na cúig cúrsaí agus vino fháil ar
4s. 6d.—nó dóthain per
l'Irlandese agus vino ar
2s. 6d. In áiteanna eile is
féidir Feoil Rósta all' Inglese nó
Snail Pie alla Francese nó Canned
Duck all' Americano a ithe ar ó
1 2s. 6d. in airde. Téann beirt
cheoltóirí taistil ó ristorante
go ristorante ag ceol is ag bailiú.
Trua gan m'fheadóigín liom. Miasa
speisialta Fhirenze go hálainn. Beefsteak

nó sicín nó ruipleog déanta suas ar bhealach nach
n-aithneofá é, agus oimléad bliosáin; agus Píóg
Pizza—píóg oscailte feola rósta ar thine adhmaid.
Itheann siad dearg-the sa tsráid iad. Císte gooey,
rómhilis, ach ag leaghadh i do bhéal—absoluto.
Milseáin an-daor ach déanta suas go hálainn. Bíonn
2d. breise ar chupán caife má shuíonn tú—mar sin
níl sna stóilíní ach ornáid. Bhris mise ceann ar
maidin. Ní bheidh mé chomh fial le mo dhá
phinginí feasta. Gaelic Coffee alla Fiorentina—
caife agus rum fiuchta le chéile.

Tá gach áit an-ghlan—fiú amháin an stáisiún—
urláir snasta marmair. Na daoine gléasta go maith
ach níl na mná iontach faiseanta. Ag na fir a
bhíonn an stíl—gach fear acu. Ar na fir is mó
a fhreastalaíonn na siopaí. Beag agus feistithe
go hálainn a tá na siopaí—i bhfad níos deise ná
Páras—cuma an tarracóirí nó 'hot couture' atá
ar taispeáint acu. Níl mórán níolóin ná múnlán
de shórt ar bith le feiceáil. Fo-éadaí is blúsanna
de shíoda is línéadach—iontach fíneáilte, gach
greim láimhghreanta agus go hálainn. Bheadh
siad i bhfad níos deise, áfach, gan leath an oiread
oibre. An stuif láimhdhéanta ar fad tá sé go
han-mhaith. Críoch álainn air—cuma mata tuí nó

mála leathair—déanta as ábhair áille ach i bhfad
an iomarca frills agus flounces agus Florentine
lilies. Tá na rudaí seo saor. Blús ar a mbeadh
£8 8s. i mBaile Átha Cliath, £2 10s. anseo. Horsey
handbag den leathar is boige £2—£3.

Deineann siad bréidín deas anseo ach sna siopaí
faiseanta tweed inglese a tá ar fáil—agus Shetland
jumpers! Tá éadaí soitheach de línéadach Éireann-
ach (tá siad againne sa bhaile mar éadaí boird)
i siopa amháin ar 6s.

Cheap mé nach mbeannóinn do bhróg
riamh arís—ach cine ar leith iad na bróga
anseo. Déanta go hálainn, cuma
15s nó £5 an péire. Dead flat,
nó 4″ spikes. Biorach. Bíonn na bróga áille seo
ar gach bean, ach bíonn siad sórt amaideach ar
na leaca agus ar na cosa ramhra italiano. Bróga
gránna a chaitheann na fir—biorach, suède.
Bróga spóirt an-deas sna siopaí. Leathar neamh-
shnasta agus boinn ramhra, gnáthbhioranna.
Dúnann na siopaí 1-3.30 nó 4 p.m. Ag ithe a
bhíonn siad an t-am sin ar fad. An photaireacht
sna siopaí go millteanach. Ach amháin cuid
Ghambone agus tá sé sin chomh daor anseo is a
tá sa bhaile.

Níl mórán bochtanais le feiceáil cé go bhfuil na riachtanais daor go leor. Caife £1 an punt, arán, spaghetti etc. daor freisin agus bíonn siad i gcónaí sna cafés ag fáil caife agus cístí, is ag dul ar bhusanna—díreach ar son na marcaíochta —agus ceannaíonn gach duine dos bláthanna sa mhargadh.

Tá stocaí ar nós mo chuidse acu, ach fada— no visible means of support, dearg, gorm, yalla. Tá siad go hálainn—ach not quite the thing, b'fhéidir.

Chaith mé an mhaidin in Áiléar San Marco, áit a bhfuil Freascóanna Fra Angelico. Na dathanna iontacha a tá orthu—ní féidir aon tuairim fháil ó na cóipeanna. Maith an rud gan Mavis liom—tig liom an cultúr a thógáil go bog.

Beidh mé ag dul amach go Sesto amárach—áit a bhfuil an Photaireacht (20 nóim. ar bhus). Tá lóistín saor ansin—mar sin, sílim gurb ann a chuirfidh mé fúm. Lóistín daor anseo. 11s an lá (gan bia) ag Mrs. M. An seomra is saoire a tá ar fáil sa chathair 5s an lá. Níl aon tithe cónaithe le cúlghairdíní anseo—ach amháin an corrphálás. Appartamento a tá ag gach duine.

Tá sé seo ar nós leabhar eolais. Slán. Grá

do gach duine. Cuirfidh mé litreacha chuig daoine eile má bhím ábalta páipéar fháil.

Úna

P.S. Thug na hItaliani sa traen ar mo bhealach anseo a gcuid seolta dom le dul ar cuairt chucu má bhím i where-ever. Tá siad an-chairdiúil. Ach ní dócha go raghaidh mé.

Ú.

A Eibhlín agus uile,

Seomra an-deas agus saor agam anseo. Sórt seomra
bia clainne le divan, ag féachaint amach ar Phiazza
Annunziata—an chearnóg is deise i bhFirenze.
Tá uisce ann ach níl dabhach, ach dhein mé
cairdeas le dabhach trasna an bhóthair. Annamh
agus iontach a leithéid anseo, agus aon áit a
mbíonn, salach! Tá sórt tithe nite poiblí anseo
is ansiúd—ansiúd den chuid is mó—a tá go
hiontach, sciomartha glan agus all mod. cons.,
ag áireamh cupán caife built-in. Iad daor—do
na cuairteoirí amháin gan amhras.

An-sásta leis an seamróg. Tá sí breá úr i
mbabhla agam. Ba dheas uaibh na _Times_es a chur
chugam freisin—ach ní dhéanfaidh siad gnó in
ionad litreacha. Léigh mé léirmheas R. Ó
Glaisne—the cheek of him. Gach duine anseo
sásta go bhfuil De Valéra istigh arís—an t-aon
rud a tá ar eolas acu faoi Éirinn.

Tá Sesto (an Photaireacht) go deas. Gach lá
8.30 a.m.–5 p.m. Murab amhlaidh is an oifig

sa bhaile, tá siopa caife trasna an bhóthair. Níl fhios agam bhfuil mórán le foghlaim anseo ach is mór an spraoi é.

Tá na hItaliani tiubh—absoluto. Cé go bhfuil Béarlóirí ag freastal ar an scoil le fada, níl aon fhocal Béarla acu ann. Ach amháin Jasus Chroist, a d'fhoghlaim múinteoir amháin ó phríosúnach cogaidh Éireannach.

Cailín deas Éireannach ann darb ainm Rita agus Americana darb ainm Valerie (back home agus I, I, I, pain-in-the-neck) ach is mór an ceangal é an Béarla agus tú ar bheagán Italiano agus mar sin tá muid an-chairdiúil. An tItaliano an-deacair—d'iarr mé rud nár dheas in ionad aráin ag an lón mo chéad lá—tá mo chlú déanta! Is é Sesto leaba síl an chumannachais san Iodáil. Bhí an-spraoi agam ag iarraidh biotáille mheitileach a cheannach—ar ndóigh níl riachtanais an tsaoil i mo fhoclóir póca . . .

Tá mé éirithe an-mhór le ceannaí ealaíne Rúiseach as Londain, Mrs. Hewitt (Call me Anna, dear). Seanbhean an-deas a théann thart ag bailiú objets d'art, dá gnó. Bhí sí anseo ar feadh cúpla lá agus thug sí thart mé ar an gcultúr go léir! An-eolas aici ar Fhirenze agus taste absoluto i ngach rud. Ach tá sí craiceáilte!

Tá mé ag scríobh ailt ar na Green Hills of Erin do Yank. Tugadh an job dó féin le déanamh, ach níl an t-am aige dul go hÉirinn. Tá sé le $30 a thabhairt dom air, deir sé . . .

Thug mo chara seanda, Mrs. Hewitt, chuig Ambasáid na Breataine mé. Bhí mé maslaithe ach ar sise 'It's a good place to know because of the lavatory—and they have a library too.'

Carnabhal ar siúl 20 míle as seo, mar sin tá Firenze dressed to kill. Na siopaí déanta suas go hálainn agus gach páiste san áit gléasta i mbréag-ríocht. An chéad lá bhí sé go deas, ach tá sé ag dul ar aghaidh anois le seachtain. Leithscéal ar bith le dul thar fóir! Gach rud thar fóir anseo. Bíonn an iomarca le rá acu, le n-ithe. An iomarca maisiú ar gach rud. Bíonn eaglais álainn Ghotach acu, dea-chumtha agus simplí, ach taobh istigh bíonn gach orlach clúdaithe le Renaissance splen-dour. Gach píosa den R.S. go hiontach ann féin, ach i bhfad, i bhfad an iomarca de. Is annamh a bhíonn srian le tabhairt faoi deara anseo.

Cártaí agam ó Chian, Síle agus Peig.

Tá iris arty-crafty acu anseo, *Numero*, agus

seomraí acu ina mbíonn taispeántais ag an up-and-hope-to-be-coming arty set. Tagann siad le chéile anseo tráthnónta freisin. Bhí mé ansin oíche agus arsa an bhean gur léi é: 'I show your pots for nothing because the Irish are such generous people.' Trua gan pota agam!

Na seanmhná i Sesto, san aimsir fhuar bíonn potaí beaga acu ina mbíonn searghual ag dó lena lámha a choimeád te. Bíonn siad ag siúl thart leo seo.

Turas deas agam inniu go Siena agus San Gimignano —seanbhaile thuas ar bharr cnoic. Balla thart air le 'geata isteach' agus 'geata amach.' É cosúil le fearas stáitse. Ach na daoine ann chomh suas chun dáta agus oilte—agus é san fhiántas. Siena lán le Americani—'Oh My!'

I Siena tá taverna ina bhfuil leithreas (rud annamh) díreach os cionn an tseomra bia. Tá fuinneog mhór san urlár le solas a ligean isteach. Tá radharc iontach síos thríd—agus suas.

Níl séipéal tuaithe gan dealbh le Donatello nó freascó le Ghirlandaio—bí ag trácht ar chultúr! Go hálainn faoin tuaith—na dathanna sa tráthnóna agus an ghrian ag dul faoi . . . ach fiú amháin ansin, níl orlach gan teach nó doireológ. Mura mbíonn spás líonta le cultúr de shórt amháin acu bíonn sé líonta le cultúr de shórt eile!

Na banaltraí anseo go hálainn. Gach rud bán, ag áireamh bróga agus stocaí. Tá na siléir áille go holc dom theasc shleamhnaithe.

Grá do gach duine,

Úna

A Eibhlín agus uile,

Tá an scoil i Sesto in ainm bheith ar oscailt ar
8.30 a.m. Chuaigh mé in am an chéad mhaidin
ach ní raibh aon duine ansin, mar sin tógaim go
bog anois é. Téim ar bhus 8.30 as Firenze (ticéad
saor do na hoibrithe ag an am seo) ach ansin casann
Rita (an cailín Éireannach, as Cill Choinnigh—
éirithe an-chairdiúil léi) orm sa bhar don bhric-
feasta. Bíonn na cístí te as an oidhean agus dein-
eann siad café latte dúinn agus léann muid
nuacht an lae—tuigeann muid roinnt ach bíonn
an pointe i gcónaí caillte orainn. Fán am a
bhíonn muid réidh le himeacht tagann Randy,
mar sin tosaíonn muid arís. Mac léinn eile is
ea R.—Italiano as Meiriceá (drochphointí Mheiriceá
agus dea-phointí Italia). Bhí sé ar spraoi sa Ghear-
máin agus tá sé díreach tagtha ar ais. The Cowboy
(béim ar boy) a thugann muintir na háite air mar
gheall ar sheaicéad ildaite a chaitheann sé. Nuair
a shroicheann muid La Scuola bíonn sé in am
don scor caife. Ina dhiaidh sin ní bhíonn ach

uair an chloig roimh lón, mar sin téann muid isteach sa tseomra plástair ag caint le Mancinelli. Mé féin agus Rita, is é sin le rá. Téann Randy ag obair ar nós an diabhail ag gloiniú soitheach, ag troid agus ag clamhsán. (What I dislike about this outfit is—). Bíonn Valerie (an cailín Meiriceánach) istigh ó chéad-sholas an lae ag déanamh na mílte potaí basctha :

—- I like the line of these, but those some-how have nothing of me. Ní haon díobháil sin . . .

Labhraíonn sí i litreacha móra ar nós Valerie T. Is é Mancinelli an duine a d'fhoghlaim Jasus Chroist ón Éireannach fadó. Tá sé beag, ramhar, foltmhar agus lán le spraoi. De réir a chéile bailíonn slua beag isteach. Ceapann siad gur mór an spórt na hÉireannaigh. Bíonn na hAmericani ródháiríre dóibh. Una-Due-Tre a thugann siad ormsa. Níor thuig siad cé an sórt ainm Úna.

— Ar nós una, due, tre . . . arsa mise.

Mar sin, Una-Due-Tre a tá orm ó shin. Ní bhíonn aon ábhar cainte acu ach an grá, agus is mór an sólás é nuair a thagann beret dubh Thoferel-li timpeall an dorais.

— Una-Due-Tre, come along per il te.

Ní i mná a tá suim ag T.—mar sin is féidir labhairt leis faoin aimsir nó na barraí. Ar a haon nó mar sin téann muid ar fad go Palmira's don lón. Is é sin má bhíonn aon airgead againn. Nuair a bhíonn muid briste bíonn buidéal fíona agus giota aráin againn i measc na bpotaí. Bíonn an bia leamh go leor tigh Phalmira, ach is mór an spraoi é. B'ansin a d'iarr mé pannolino in áit panino agus ó shin tugann siad La Signorina Pannolino orm. An menu céanna a bhíonn ann i gcónaí, agus tá sé de glanmheabhair againn le fada—manzo lesso, pollo lesso, pollo arrosto, baccola . . . Léann Palmira féin amach é ar nós amhráin. Ach cuma céard ordaíonn tú, an rud céanna a thagann i gcónaí. Suíonn fear trasna uainn agus bhí sé de mhí-ádh orm a rá lá amháin gur dheas na súile a bhí aige. D'inis duine éigin dó céard dúirt mé agus ó shin tá mé cráite. Ar mo bhealach isteach deireann Anna (iníon Phalmira) in ard a gutha:
—Cliabh silíní aige duit inniu, ciallaíonn sin go bhfuil sé i ngrá,

nó,—Bláth a tá ann inniu, ciallaíonn sin pósadh.

Seachas an ceathrar againne (na strainséirí) agus Riccardo as San Salvadore, a thagann uair sa mhí, níl sa scoil ach páistí. Triúr cailíní agus na mílte buach-aillí. Bíonn siad seo i gcón-aí ag iarraidh míniú a fháil uainne ar na focail Bhéarla a chloiseann siad ar na scannáin— six-shooter, gangster, you dirty rat, blond bombshell . . . Mhúin Rita Naughts and Crosses dóibh maidin amháin. Um thráthnóna bhí Mancinelli agus Toferelli agus scuaba péint móra acu á ndéanamh ar bhalla na foirnéise. 'Eeks and O irlandese.' Agus ar ball Juliano agus Arturo. Sórt freastalaithe iad seo a scuabann an áit agus sin an méid. Tweedledum agus Tweedledee a thugann muidne orthu mar go mbíonn siad i gcónaí le chéile—an scuab ag J. agus an dustphana ag A. Bhí siad seo á imirt sa deannach ar an urlár leis an scuab.

Nuair nach mbíonn siad ag comhrá linne, is

gnáth do na múinteoirí bheith ag troid—iad ar fad i gcoinne Thoferelli. Caitheann siad potaí agus buicéid ghloinithe lena chéile. Bíonn murdar ann ar feadh 10 nóiméid agus ansin bíonn siad chomh cairdiúil is a d'iarrfá. Ach tagann poor old T. agus cuma bhrónach air, 'Una-Due-Tre . . .' Bíonn géarghá le cupán tae.

Chím ón *Times* go bhfuil sé ag báisteach i mBleá Cliath. Tá sé ag báisteach anseo freisin —ag clagarnach. Tá an bháisteach chomh trom nach féidir dul amach. Tír álainn na gréine mar dhea!

Bhfuil sibh uaigneach gan mé?

le grá ó
Úna

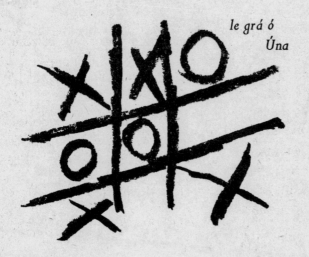

A Eibhlín agus uile,

An marbh a tá sibh go léir?

Is maith liom na hItaliani—níos mó agus níos mó. Tá siad cosúil linn féin. Nuair a tharlaíonn uafás, briseann siad fuinneog ar dtús is ansin deineann siad gáirí. Na hAmericani—bíonn siad a whingeáil ar feadh seachtaine.

Ní féidir dúch dubh a fháil anseo. Is amhlaidh is fearr, mar dhoirt mé an stuif seo ar an sleasbhord ársa uafásach—ructions—agus ar me one and only skirt freisin.

Bhí an-spraoi anseo an tseachtain seo caite. Tháinig na hAlpini—30,000 díobh, sórt Alpine Army Regiment—past, present and future. Bíonn teacht-le-chéile acu in áit éagsúil gach bliain. Sórt Robin Hood hats orthu—cleití, pom-pomannaí agus boinn bheaga—agus buidéal ollmhór Chianti ag gach duine acu. Cuid acu i gcultacha ón 13ú céad, dearg agus bán, a bhí go hálainn.

Thug siad píobracha agus coirn,
mná céile agus leannáin agus iad
ar fad ag éirí níos mó agus níos
mó ar meisce de réir mar chuaigh
na laethe thart. Na Fiorentini non-
plussed. Ní fhaca siad a leithéid
riamh. Ní bhíonn siad féin riamh ar
meisce agus shíl siad go raibh na wild
mountainy men beagán troppo. Tá
siad imithe anois agus níl fágtha díobh
ach hata Alpino ar chloigeann Chríost
nocht Sansovino—agus Chianti
bottle faoina ascaill!

Cheannaigh mé gríobh—an 17ú
céad, gan bhréag—ar 12s 6d.
Zanobi is ainm do. Tá sé go hálainn, ach conas
a éireos liom é thabhairt abhaile . . . Mura li-
geann sibh isteach é sa bhaile tig liom é bhronnadh
ar Mrs. S.—i gcúiteamh an bhronntanais phósta a
thug sise domsa. Tá antiques an-saor anseo.

Tá mo chara seanda ag iarraidh 'ceannaí' dhéan-
amh díom. Deir sí má cheannaím rudaí anseo
go ndíolfaidh sise i Londain dom iad. Ach ní
dóigh liom gur mhaith liom trapesáil trasna na
hEorpa le tréad de ghríobha.

Aifreann anseo—margadh beithíoch ceart. Na daoine ag béadán is ag ceannach cártaí poist. Twould put you off your religion—if you had any—ach ansin i séipéal beag bhí cailín óg agus coinneal lasta ina láimh aici agus í ag caoineadh is ag caoineadh—bhrisfeadh sé do chroí.

Tugann siad an-onóir do na naoimh—cúig lá féile ó tháinig mé agus lá saoire gach ceann acu! Bhí Festa in onóir don Annunziata sa Phiazza agamsa ar an 25ú. Ó lár na hoíche roimh ré bhí siad ag cur suas seastán agus tháinig daoine ó chian is ó chomhgar le go mbeannófaí rudaí dóibh. Ardaifreann le gardaí i gcultacha meánaoiseacha, buabhaill agus dromaí. All the Fun of the Fair sa chearnóg—balloons agus buns agus paidríní, toffee te déanta faoi do shúil. Seáinín Saor, muincí cnó coill. Bhí sé ar siúl go meán oíche. Fá sholas coinnle beannaithe a d'fheistigh siad na seastáin agus nuair a bhí na daoine ar fad imithe abhaile dhein siad tine chnámh mór de iarsmaí na mballoons pléasctha, na málaí páipéir agus fuíollach na gcoinnle beannaithe.

Chuaigh mé go Bologna inné le casadh ar Mháire P.—ag cur bhur dtuairisce. Bologna an-leamh i gcomparáid le Firenze—níl aon níochán

ildaite ar crochadh, fiú amháin sna cúlsráideanna.
Anseo d'fheicfeá pink pants ar crochadh as
fuinneog na hArdeaglaise. Bhí go leor feirmeoirí
istigh i mBologna—eireaball aonaigh. Caitheann
siad ar fad clócaí—mo cheannsa náirithe acu.
Iad an-fhairsing—crochta thart-agus-trasna na gual-
ainne—donn agus liath agus dubh. Cuid acu
an-chic le bóna fionnaidh. Seachas iad sin ní
raibh ach gile amháin ann—fógra i séipéal a dúirt
in Italiano nach raibh cead isteach ag mná i slacks,
agus faoi i mBéarla: 'Please not to enter the ladies
wearing knickers.'

Bhí an turas go hálainn trasna na sléibhte,
carraigeach agus fiáin, gan mórán tithe—rud is
annamh anseo. Tá nós   acu sa Tuscáin
baile a thógáil ar   bharr gach
cnoic agus bíonn   na tithe
ar fad cuachta
le chéile

díreach ar an mbarr agus bheadh faitíos ort go ngabhfadh siad thar maol.

Bhí mé i gCertosa lá—príomhtheach na gCartús-ach. Deineann siad Chartreuse ansin (ba bhreá leatsa é, a Shinéad). Ar bharr cnoic freisin—céimeanna agus céimeanna agus céimeanna. Ach bí ag trácht ar an Manachas!—trí seomraí ag gach manach agus balcóin phríobháideach, objets d'art agus Odearest mattress. Ar ndóigh ní itheann siad feoil ná im ná bainne ná uibheacha, but you can't have everything. Spailpíní a bhíonn ag obair sa ghairdín acu.

Chuaigh mé trí rigmarole mór le ticéad séasúir fháil ar an mbus chuig an Pottery—pictiúir, cáipéisí, toise mo hata. Ansin fuair mé amach gur saoire ticéad a cheannach gach lá. Ciall ar bith do chóras níl acu! Na huimhreacha sráide —cloíonn siad le uimhreacha corra taobh amháin, cothroma ar an taobh eile, ceart go leor, ach ina dhiaidh sin is Think of a number. Sílim go bpiocann siadsan uimhir mar a phiocfadh muidne ainm. Bhí mé ar lorg No. 77 an lá fá dheireadh. Fuair mé trí 77 i sráid amháin. Ní bhfuair mé an ceann a theastaigh.

Chonaic mé Maureen O'Hara in Iodáilis—tá

sí olc go leor i mBéarla. American super-doopers ar fad a bhíonn sna pictiúrlanna cé go bhfuil riail acu scannán amháin Iodálach a thaispeáint as gach trí. Mar thaca taispeáineann siad clár T.V. na hoíche.

Tá mé scanraithe ag an gcultúr. Tá na rudaí chomh hálainn, chomh láidir, chomh cumhachtach go mbeadh náire orm penny pots a chur ar fáil. B'fhearr agam dul ar ais chuig na bróga.

Chuaigh mé go Lucca agus Pisa agus bhí mé an-tógtha leis an Túr Crochta (fámaire ceart). However, leis an crick sa mhuineál bhreathnaigh sé sórt díreach domsa. Bhí teach trí thine in aice leis, an baile go léir ag seasamh thart ag béiceadh 'Dio Mio! Mí-ádh! Uafás!' ach níor dhein siad aon iarracht rudaí a shábháil. Fán am a tháinig an Bhriogáid Tóiteán ní raibh aon rud fágtha. Córas . . .

Na Misericordie anseo díreach ar nós an Ku Klux Klan. Caitheann siad cochaill dubha—poill do na súile. Oibrithe deontacha iad ar fad, a thugann cúpla uair an chloig sa tseachtain ag cuidiú leis na bochta tinne—ach bocht marbh a bheadh ionamsa dá dtagadh siad chugam agus mé tinn.

Bíonn daimh-chairteanna acu i Sesto—sin a thugann siad orthu—ach dhá bhó, pure and simple, a bhíonn faoi na cairteanna. Bhí ceann sa tsráidbhaile an lá fá dheireadh agus bainne absolu-to úr ón mbó á dhíol, blite díreach isteach i do sháspan!

Tá mé an-tógtha leis na scuaba urláir—pink nó puce nó gorm ríoga a bhíonn na gruaigeanna orthu—ní dath dusta a bhíonn orthu riamh.

Sa teach seo tá telefón, frig. búistéara, 6 blúsanna de chrochet Éireannach—agus níl dabhach!

Is saoire licéar ná líomanáid.

Bíonn na mná i gcónaí, gcónaí ag gabháil d'obair cheirde. Bambino faoi ascaill amháin, cliabh luachra á dhéanamh faoin ascaill eile.

Faitíos an domhain orthu go léir roimh an ngrian. Céadbholadh an earraigh agus tá spéaclaí gréine agus boinéid orthu. Go bhfóire Dia orthu mí Iúil . . . Maidir le haer úr!

Ar an adharc agus ar na coscáin a thiomáineann

siad gach feithicil. Busanna, rothair agus roth-
bharraí. Tá mé scanraithe ceart acu.

Tá na mosquitos agus na fámairí ag tosnú, cé
nach bhfuil an aimsir te in aon chor fós.

Chuaigh mé chuig ceolchoirm shiansach.
Bhuaileadar bos agus bos agus bos. Gan
aon easonóir do thír seo an cheoil, chuala
mé i bhfad níos fearr ó cheolfhoireann
Radio Éireann. Ach b'fhéidir gurbh iad
na céimeanna cloiche a bhí ag goilliúint
orm: suíocháin plush 30s; céimeanna
cloiche i ngach áit eile.

30 Márta

Cnap mór litreacha inniu. Níl sibh
marbh tar éis an tsaoil. Aoileann bhocht.
Tá súil agam nach mórán a tá uirthi. Abair
liom céard dúirt an dochtúir fúithi.

Agus cailleadh Pádraig Phatch bocht.
Ar d'anam, Bríghidín, ná cuir mo chuid
litreacha chuig na páipéir agus na rudaí
millteanacha a dúirt mé faoi na hItaliani. Ar
aon scéal, ní bheadh suim ag aoinne iontu.
Tá sé go hiontach faoin laghdú 10 bpunt
atá déanta ag Ailbe. B'fhearr agam gan
teacht abhaile go ceann i bhfad. Bheadh

an fáiltiú (a mbeidh mé ag súil leis) go holc dá régime. Agus tá othras Sheáin cneasaithe! Is cosúil go bhfuil ag éirí go breá libh go léir gan mé. Trua.

Sílim go mbeidh éadach Avoca go hálainn do na clúdaigh. Cuir chugam blúirín nuair a thagann sé. Beidh an teach ina seó mór, agus tá £40 saor ar na cathaoireacha. Tá iomarca oibre á baint as an frig. nua agat, sin é an fáth go stopann sé san oíche. Deir Eibhlín go bhfuil sé go hálainn.

Nuair a thagann Berengaria ná tabhair mo sheoladhsa di—ná mo leaba, Eibhlín.

An stampaí nua nó francáilte is fearr do na bailitheoirí? Inis dom mar níl mé eolach.

Agus tá Breandán ag obair ar an Press! Agus Ernie O'Malley marbh—agus gan é ach 59, deir an páipéar.

Tá mé buan anseo—go ceann dhá mhí eile (mura ndoirtim tuilleadh dúigh). Ach is mór an buaireadh an seoladh a athrú ag an Times. Níl Morandi's ach trasna an bhóthair uaim agus is féidir liom é bhailiú ansin. Ba leithscéal é le cupán ceart tae a fháil. Tá sé go hiontach é fháil ach is mór an náire, Eibhlín, tú bheith ag caitheamh an méid sin airgid air. Cuir chugam

litreacha Shíle. Níl an t-am agam scríobh chuici.
Tagann an *Statesman* go rialta, a Shinéad agus a
Ailbe, mar sin tá soláthar breá uplift agam.

Litir agam ó John S. ag rá go raibh clann 'a
chónaíonn ar chúl balla aird i Leamhcán' ag
dul glaoch isteach orm. Bhí siad an-sásta le
Gaeilge gan Dua. Léigh siad na pictiúir ar fad
agus thuig siad iad ar fad ach ceann amháin. (An
ceann a mheas an Roinn a bheith mímhorálta?)

Cheannaigh mé 59 clúdaigh litre oráiste. Trua
gan iad líneáilte agus cumhrata freisin. Chonaic
mé inniu 'American English Grammar, as pre-
scribed for University Courses in the States.'
Liosta fada abairtí ann—Mar a Deirtear, agus Mar
Ba Cheart a Rá:

   Colloquial: The motor acted funny.
   Formal: The motor acted strange.

                          Grá do gach duine,
                                   Úna

I.S.   Conas tá leabhar nua Phop ag dul ar
aghaidh?

Fuair mé do chárta Lá le P., Bríghidín. Chuir
sé uaigneas orm.

An Garret
Seoladh céanna
Firenze
Aibr. 13

A Eibhlín a ghrá,

Ní fhéadfadh an seomra bia clainne seasamh. Tá mé sa gharret anois. Fuinneog bheag bhídeach ag féachaint amach ar an líne níocháin agus isteach sa leithreas. Bíonn orm seasamh ar chathaoir agus mo cheann, teasc scaoilte agus uile, a shá amach féachaint an cóta báistí nó boinéad gréine a bheadh uaim.

Chuaigh mé féin, Valerie agus an Treoir-Leabhar go Venezia don deireadh seachtaine.

—If only for this I'm sure glad I came to Europe, ar sise.

Bhí fhios agam faoi na canála ach ní raibh mé ag súil go mbeadh ceann díreach taobh amuigh den stáisiún. Na gondole go hálainn—go mórmhór na cinn leis na cuisíní dearga plush. Venezia ar tí titim as a chéile. Níorbh aon dochar beagáinín péint. Tá sí ar nós sí-chathair—chomh ciúin léi. Níl aon mhótair, rothair ná rothbharraí.

—I must, just must, write a poem about it all.

Dhein muid timpeall a bhí leagtha amach ag an Treoir-Leabhar. Bhí sé ag cartadh báistí ach chuaigh muid na céadta cúlbhealach chuig seodlanna, iarsmalanna agus teampaill. Bhí sé chomh dorcha nach bhfaca muid faic, ach chuir muid tick le gach mír sa Treoir-Leabhar.

—You know, Una, I'm so glad we've seen that —the reproduction is nowheres like it.

B'fhíor di—sa chóip, bheadh rud éigin le feiceáil.

Shroich muid an mhonarcha ghloine mar bheadh beirt fhrancach (lucha) báite. D'íoc muid go daor as Timpeall le Treoraí, agus thaispeáin siad bean dúinn ag déanamh trí clocha beaga agus fear ag déanamh capaillín agus ar ndóigh, an seomra taispeántais. Ceardaíocht iontach ach easpa taste. Cheannaigh V. crúsca—glas, le bláth bándearg agus gorm :

—I just couldn't resist it.

In ostán mhic léinn a chaith muid an oíche. Seanteach iontach. Doras trom, urlár de leaca, siléar le bíomaí. Bhí an t-uisce díreach taobh amuigh, agus mura mbeadh tú ag smaoineamh, isteach leat. Ní raibh anseo, áfach, ach na seomraí ite. Bhí orainn dul trí phasáistí agus pasáistí le teacht ar na seomraí codlata; bhí leathdhosaen múranna ann, leithreas amháin. Seomra deas againn, ach níor chodail muid mórán mar sa tseomra taobh linn bhí bean ag díol a raibh aici, in ard a gutha. Lire 1,200 a theastaigh uaithi agus ní raibh sé sásta a íoc ach 950!

Pas de traffic cops agus bíonn brú i gcónaí sna canála. Venezia an-ghlan. D.D.T. sna canála ón aer. Earraí sna siopaí daor agus tarraingítear isteach thú le rud a cheannach, agus bíonn na fir ag iarraidh an mhonarcha ghloine a thaispeáint duit nó La Luna ó ghondola.

Agus muid ag imeacht tháinig an ghrian amach agus ceart go leor bhí an chathair go hálainn faoin solas—tite as a chéile is uile is a tá sí.

Dúirt Françoise Henry le Mavis i mBleá Cliath gur maith an rud go ndeachaigh mise roimpise: 'Úna can warn you about the pitfalls.' Mar sin tá liosta ar an mballa agam—Meamram do Mhavis:

1. Cuir dúil sa chaife—tae uafásach.
2. Agus san fhíon tirim—an fíon milis ródhaor.

3. Tabhair do chniotáil le gan aon am a chur amú.

Tá Randy (an tItalo-Americano sa tseaicéad ildaite) ina chríostaí agam. Nuair a tháinig mé, ní ólfadh sé ach leathghloine fíona ag béile, agus bhíodh sé i gcónaí, gcónaí ag clamhsán.

—This joint is great, but why can't they . . .

Ach anois ní leor dó buidéal fíona agus tá deireadh leis an gclamhsán. Rud eile, tá sé ag aimsiú tábhairní salacha dó féin—ní raghadh sé isteach i gceann cheana.

Rita ag dul abhaile go Cill Choinnigh sar i bhfad, mar sin tá muid ag déanamh sciuird mhire timpeall ar an gCultúr, na Tábhairní Salacha agus Oifigí na dTicéad. Tá sí ag dul tamall a chaitheamh i gCannes agus tá mo chara sèanda (Call me Anna, dear) ag socrú lóistín di.

—The man of the house likes privacy—so she must be out, or keep to her room. I advise Paris instead—much quieter there.

Tá an bhean craiceáilte gan dabht. Tá sí i bPáras faoi láthair agus gach re lá tagann cárta poist:

Can you come Paris? Wire time and I'll meet. Such a nice young man you must meet, but *don't think about marrying him—unreliable, but very sweet. Henri or Claude maybe, never can remember these French names. Wear stockings— very cold here. And something for your head.*

Cártaí poist a chuireann sí i gcónaí—is mór an cur amú airgid litreacha. Ní maith léi airgead a chaitheamh ar bhia nó lóistín ach oiread. Ach rud eile ar fad taisteal:

—It enlarges us, dear.

Ba mhaith liom cárta a chur ar ais:

Can't come P. just now—pot in the oven. Anyway not a thing for my head, though I'd love to meet Henri or Claude maybe!

Ach tá sí sean, an créatúr, agus tá croí maith aici.

Le grá ó
Úna

I.S. Dá mbeadh nóiméad le spáráil agaibh bheadh fáilte agam roimh chárta poist, fiú amháin. Seans go bhfaigheadh sibh ceann i mo sheomra féin—'An Ghrian ag dul faoi i gCill Airne.'

Ú.

A Eibhlín a ghrá,

Fuar agus fliuch anseo le fada, báisteach chlábair
an lá fá dheireadh. Tarlaíonn sé seo cúpla uair
gach bliain agus bíonn gach duine agus gach rud
salach—deir na heolaithe liom go dtugann an
ghaoth gaineamh léi ón Sahára agus fán am a
thiteann sé i bhFirenze, clábar a bhíonn ann. Ach
inniu tá sé go hálainn te. Wisteria faoi lánbhláth
ar bhalcóin na n-uasal. Boird agus cathaoireacha
lasmuigh de na cafés, Turisti i ngach áit, freastal-
aithe a bhfuil Béarla acu i gceannas ar na seastáin
agus luachanna dúbailte.

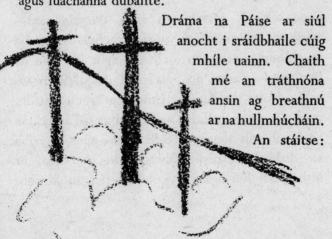

Dráma na Páise ar siúl
anocht i sráidbhaile cúig
mhíle uainn. Chaith
mé an tráthnóna
ansin ag breathnú
ar na hullmhúcháin.
An stáitse:

cnoc—chomh carraigeach is a thagann siad—
agus trí croiseanna móra millteacha. Suíocháin
sa ghleann. 600 páirteach ann agus bhí siad go
léir ansin—gléasta go péacach i dtógaí Rómhán-
acha, ildaite de láimh. Cuid acu ag cleachtadh,
cuid eile ag bualadh le casúir, iad ar fad ag gearán
nach mbeadh aon rud réidh in am agus cá raibh
an diabhal Mháthair Bheannaithe ar chaoi ar
bith? Bhí lón agam i gcúlchlós leis an M. Bh.

réamhráite, Jesu, agus leathdhosaen fir balloon.
Chrochadar na balloons—gach toise, gach dath,
gach déanamh—ar chrúcaí timpeall an chlóis.
Hurdy-gurdies agus toffee te fá lánseol sa chear-
nóg. Tháinig tréan gardaí—ar chapaill, mótar-
rothair agus jeeps—bíonn siad ag súil le trioblóid
ó na cumannaigh.

Is mór an racket an Cháisc anseo. Fiú amháin
an 'Phailm' (gearrtháin ó na holachrainn) díolann
siad í—beannaithe agus uile—ar na sráideanna.
Inné bhí siad ag díol bataí—maisithe agus ornáid-
ithe—i gcuimhne na mbataí lenar bualadh Íosa.

Sa cheantar seo a fuair Naomh Brighid seo
againne agus Naomh Aindrias bás. Bíonn an-
díol ag na haontaí ar sórt briosc-fhataí ar a dtugtar
Brigidini. Tharla go raibh easpag Éireannach
darbh ainm Donato sa cheantar san 8ú céad. Chuir
sé fios ar Aindrias le mainistir agus eaglais a
thógáil. (Tá siad ann i gcónaí—athchóirithe,
aerial T.V., agus uile—Naomh Aindrias bocht).
Nuair a bhí Aindrias ag fáil bháis chuir sé fios ar
Bhrighid. An teachtaire a chuaigh len í fháil
fuair sí ina clochar í ag ithe éisc bheaga agus leitís
úr. Agus anseo a fuair sise bás, agus lá 'le Brighde
gach bliain bíonn oilithreacht chuig an áit.

Tá 'slán,' agus 'absoluto' ar bharr gach teanga sa Photaireacht anois. Mise ag leanúint de dhea- obair N. Brighid!

Dhein mé boxty lá amháin, agus theip air— mar sin ní haon mhaith mé don tionscal cuartaíoch- ta. Tá mé cráite ó bheith ag míniú do dhaoine nach cuid de Chomhchiníochas na Breataine muid agus gur teanga í an Ghaeilge, agus nach go díreach canúint den Bhéarla.

Tá teach anseo ina raibh cónaí ar Eoin Bosco, a raibh oiread sin ceana agam air.

Ealaín Chomhaimsearach? I bhFirenze tá can- bhás agus péint as dáta—tairní (suas go 6″) ar adhmad, nó páipéar airgid ar ghloine, na Meáin Nua.

Bíonn cótaí báistí áille ar na capaill—le cluasa. Donn de ghnáth, ach cuid acu an-chic—gorm. Bíonn siad ar na hasail freisin—ach gan acu siúd do na cluasa ach poill.

Dé Máirt bhí mé ag Seirbhís Passover sa Team- pall. Ceann an-orthodox ar fad é agus ní ligtear na mná isteach sa Teampall féin, ach in airde ar áiléar. Bhí na fir gléasta go hálainn: blaoisc- chaipíní bán, gorm nó dubh, agus seáil urnaí den síoda ba mhíne. Bhí an tSeirbhís ar siúl óna

8 go dtí n-a 12 (tháinig mise ar a 11), agus an
Rabbi bocht ag cantain leis an t-am ar fad. Na
fíréin ag siúl isteach is amach is ag béadán an
t-am ar fad. Bhí go leor coinnle ar lasadh ach
ní raibh aon ornáid san áit—ach amháin na fir—
agus an sean-Bhíobla scríofa ar phár agus clúdach
álainn air. Tugadh é seo thart ar mhórshiúl
oifigiúil agus ba dó seo amháin a mhothaigh mé
urraim á tabhairt—bhí na fir ar fad ag iarraidh
na seáil urnaí a chuimilt leis. Ag an deireadh
bhailigh bean agus clann gach fir isteach faoina
sheál don bheannú. Bhí an chantaireacht go han-
déas—an pobal ag cantain go minic.

Béile Passover agam ina dhiaidh sin. Ní bhíonn
cead acu plúr a ithe faoi chrot ar bith—mar sin
bhí sórt brioscaí de chartphár rocach againn.
D'fhéach siad go deas . . . I ndiaidh an bhéile
bhailigh siad ar fad giotáraí nó boscaí ceoil nó
whatever, agus bhí ceol Passover againn. Bhí
siad ar fad an-deas ach mar sin féin is maith liom
gur Dacent Swearin' Christian Man m'athairse.

Taobh amuigh den Teampall tá liosta fada, fada,
de na Giúdaigh as Firenze a maraíodh i Seomraí
Gáis sa Ghearmáin.

Ní bhíonn cead ag cailín Iodálach dul amach

le fear go dtí go mbíonn sí geallta. 'Ná faighim san uisce thú go mbeidh snámh agat!' De réir mo thaithí-se ar na fir Iodálacha ní haon ionadh é.

Níl mórán cultúir bailithe agam, ach níl cúlsráid i bhFirenze ná siopa caife dearóil nach bhfuil mioneolas agam air. Tá ceantar amháin, San Piero, a tá go hiontach. Tá sé sean agus ainnis agus bocht agus ní thagann na Turisti riamh ann ach anseo a tá na daoine is deise i bhFirenze. Tá siad chomh flaithiúlach! Nuair a fheiceann siad gur strainséir thú bíonn siad ag iarraidh deoch a thabhairt duit nó úll as an gcart nó bláth nó pé rud a bhíonn acu. Tá glactha liom sa cheantar sin mar habituée anois.

Tá cuireadh agam chuig Hooley i gcúlpharlús ist oíche amárach.

Tá margadh beag bídeach san áit seo, faoi sheanáirse, timpeall 10 siopa. Is féidir pincíní nó bradán a fháil, te ón róistín, le hithe sa tsráid, nó thall sa tsiopa fíona i measc na seaniondúirí. Nó is féidir Sanguinaci di Maiale a fháil—pancógaí de fhuil mhuice a tá go hiontach; nó císte cnó capaill as friochtán copair—mharódh sin duine ar bith. Tá seanbhean ramhar ann nach ndíolann faic ach líomóidí; niochtlann; agus an

rud nach mbeifeá ag súil leis, siopa caife snasta, méir-ar-chnaipe.

Droch-chomhartha é, arsa an bhean líomóide. Ársa agus íseal a tá an teach ite. Bia an-mhaith agus saor, díreach ón sáspan. Níl aon doirteal ann, mar sin bíonn orthu na gréithre a thabhairt chuig an bpumpa. Pictiúir an-derogathory den Chléir déanta ar na ballaí ag fear an tí agus lampa Croí Naofa leis an dochar a bhaint astu. Tá an áit chomh beag sin go mbíonn ar an bambino a chuid a ithe sa phreas. Tá mé cinnte gur áit chruinnithe do ghluaiseacht neamhdhleathach éigin atá ann, ón hugar-mugar a bhíonn ar siúl. An clientèle : sagart díomhaoin, múinteoir scoile, sclábhaí, dlíodóir, ealaíontóir, bean a bhfuil cónaí uirthi na mílte as seo, fear eile a bhfuil cosúlacht air bheith i gceannas, ach nach dtugann amach aon eolas air féin. Fear an tí agus a bhean istigh air freisin. Iad ar fad ard-intleachtúil. Ní bheadh tú ag súil lena leithéidí ina leithéid d'áit. Ceapann siad nach dtuigeann muide céard a bhíonn á rá acu—ar ndóigh ní thuigeann—ach tá siad an-deas. Lá breá éigin gheobhaidh mé an beret dubh—nó an príosún.

Iasc an Aibreáin a bhíonn acu anseo in áit an

Amadáin. Greamaítear iasc páipéir le do dhroim le biorán agus bíonn tú ag siúl thart agus gach duine ag gáirí fút. Cheap mise gur nós éigin cráifeach a bhí ann mar chonaic mé Bean Rialta agus iasc uirthi. Nuair a tháinig mé abhaile bhí ceann orm féin!

Chonaic mé fógra poiblí amháin i mBéarla i bhFirenze:

> No Admittance to Trucks.

Níor chas trucanna an Bhéarla orm fós.

Tá nós deas acu ar na busanna—marc leis na páistí a thomhas—má bhíonn siad níos ísle ná an marc, téann siad saor.

I Sesto—sráidbhaile na Potaireachta—tá an-deighilt idir na cumannaigh agus na neamhchumannaigh. Téann na neamhchumannaigh chuig café ar thaobh amháin den chearnóg agus bíonn gleo mór cainte, gáirí agus ragairne ann. Ar an taobh thall tá café eile ina mbíonn na cumannaigh. Is é seo an radharc is aistí—díreach mar bheadh i *War and Peace*. Bíonn sé lán go doras ach gan aoinne ag caint le aoinne eile ann, cuma

scanraithe orthu go léir. Iad seo gléasta níos
fearr ná na daoine thall—mótair ag go leor acu,
daimh-chairteanna thall.

Ag féachaint síos ar Firenze ó na cnoic cheapfá
go raibh sí marbh—níl deatach ar bith, absoluto,
ag ardú os a cionn.

Tá na fíonsiopaí go hálainn—sna cúlsráideanna
amháin a tá siad. Ní bhíonn aon rud ar díol ach
fíon. Seantithe carráiste an chuid is mó acu.
Boird mharmair ar shleasa iarainn—buidéil Chianti
ar crochadh i ngach áit.

Scaipthe ar fud na cathrach a tá an Iolscoil anseo.
An scoil seo anseo, an scoil siúd ansiúd. Aonad
inti féin gach scoil agus níl aon cheangal mórán
eatarthu. Tá an Mensa, ina bhfuil bialann, áit
rince, etc., ann dóibh go léir. Bíonn cruinnithe
agus teacht-le-chéile de gach cineál ar siúl anseo
ach tá sé an fhaid sin ó chuid de na scoileanna
nach mbacann siad leis—ach amháin na heach-
trannaigh—téann siadsan le béile saor a fháil.

Im ainneoin féin chuaigh mé chuig cluiche
pelota. Ach bhí sé go hiontach. Sórt liathróid
láimhe a imríonn na Bascaigh, le cliabh láimhe
agus sliotar. An-tapaidh. Ach is í an ghné is
fearr de ná gur féidir geall a chur ar na himreoirí

—3d síos agus suas—díreach ar nós na rásaí.

D'ordaigh mé péire bróg láimhdhéanta—níl fhios agam cé an chaoi a íocfaidh mé astu.

Tá an scoil dúnta don Cháisc agus mar sin tá mé ag dul go Ravenna faoi scáth An Óige ar feadh cúpla lá.

Deir Peig liom gur shocraigh fear an E.S.B. na sconnaí sa tseomra folctha. B'shin a laghad a bhí tuillte uaidh. Nár shocraigh an pluiméir na fiúsanna cheana? Agus cheap Pop nuair fuair sé Peig agus é féin chomh cairdiúil gur shean-chairde lena chéile iad, agus choinnigh sé é don tae!

Tá mé ag fanacht is ag fanacht le litir.

Ar tháinig muintir Chorcaí?

Eibhlín, cuir chugam led thoil stampaí Éireann-acha—tá bailitheoirí anseo freisin—agus cinn Sasanacha má tá siad ar fáil.

Grá do gach duine,
Úna

I.S.   Bhfuil Tess go fóill ag dul síob abhaile a thabhairt dom?

A Eibhlín a ghrá,

The Damn Hungarians—the cheek of them. Bás in Éirinn a ghuidhfinnse dóibh mar thoradh ar a stailc ocrais.

Báisteach throm agus sneachta againn le fada ach le cúpla lá anois tá sé go hálainn. An-te. Féachann an chathair an-deas leis an spéir ghorm taobh thiar de na tithe. Ach tá an tír triomaithe agus crua agus ite-ag-seangáin agus gránna. Dusta ar gach rud.

> Oh for a lump of sodden earth,
> And a sky that's always grey!

Á scríobh seo ar an gcéim thosaigh—ainneoin sceoin na nIodálach, nach suífeadh riamh ar chéim dhustmhar. Radharc deas agam ar an bhfuarán agus ar fhear na mballoon agus ar bhuíonta na bpóstaí (nuair a phósann cailín i bhFirenze tugann sí i gcónaí a fleasc bláthanna chuig an altóir in Annunziata). Na páistí gan athair ag screachaíl an t-am go léir in ospidéal na bpáistí tréigthe—an t-ospidéal is mó i bhFirenze.

Bhí an-tabhairt amach againn anseo mar fháiltiú don Cháisc. Mall sa tráthnóna a thosaigh sé, le mórshiúl ar fud na cathrach ag an gcléir go léir, iad gléasta amach agus coinneal ar lasadh ag gach duine acu—ceann mór ag an easpag agus cinn leathphingne ag na buachaillí altóra. Ansin san Ardeaglais bhí Aifreann agus Beannú agus ceol álainn. Ach ar ndóigh níor bhac mórán le sin— bhí siad ar fad amuigh sa Phiazza ag fanacht leis na fireworks—ar chairt mhór mhillteach, á tar- raingt ag ceithre daimheanna bána (iad seo gléasta go hálainn, le hataí bláfara) a bhí na fireworks. Ag an Gloria tháinig colúr de rúisc amach as an

Eaglais chuig an gcairt agus phléasc an t-iomlán suas san aer. Bhí sceitimíní áthais ar na Turisti ach bhí muintir na háite buartha, tharla go raibh lúb ar lár in áit éigin, agus nuair a tharlaíonn sé seo teipeann ar bharr na n-ollachrann, deirtear. Ansin thosaigh gach clog i bhFirenze ag bualadh agus na daoine ar fad ag béiceadh agus chroith siad ar fad láimh lena chéile (agus liomsa), phóg siad a chéile (agus mise) ar an dá leiceann, agus ghuidh Buona Pasqua ar chuile dhuine. Brúdh go leor daoine faoi chois—ach bhí na hotharcharr-anna agus an bhriogáid tóiteán réidh agus ag fanacht . . . A leithéid de mass hysteria—ní haon ionadh go mbíonn polaitíocht na tíre seo ina brachán i gcónaí. Tógadh seastáin do na Turisti—£1 ar shuíochán—chím anois gurbh fhiú é.

Chuaigh mé fá dheireadh go Santa Brigida— an áit ina raibh Naomh Brighid agus ina bhfuair sí bás, deirtear. Sráidbhaile bídeach ar bharr cnoic—téann an bus ann timpeall uair sa tseach-tain. Áit álainn—ní dhéanfainn dabht den Ghael. Na tithe tógtha higgledy-piggledy ar charraigeacha mar atá sa Cheathrú Rua, gleannta agus sléibhte thart timpeall orthu agus eas de uisce úr glan (an chorráit a mbíonn uisce anseo, puiteach a bhíonn ann) ag titim le fuaim thoirní. Dealbh de Naomh Brighid—díreach chomh gránna is a bheadh a leithéid sa bhaile—in áit na honóra sa tsráid agus scríbhinn deas uirthi—faoina mBrigida ionmhain a tháinig ó Éirinn i bhfad ar shiúl len iad a shábháil ó gach baol agus gach contúirt agus beannacht a thabhairt dóibh féin agus do na barraí. Ní fhaca siad cuairteoir san áit ó tháinig Santa Brigida féin agus bhí orm scéal mo bheatha a thabhairt dóibh. Bhí gliondar orthu nuair chualadar go raibh cuimhne i gcónaí in Éirinn ar Santa B. Áit an-iargúlta ar fad—na cairteanna déanta as bataí agus luachra gan aon rothanna fúthu. Is cosúla an pictiúr seo le ciaróg bhuile, áfach. Ór Muire ag fás go fiáin i ngach áit ann, a bhí go hálainn.

Tá go leor focail Italiano ann a tá cosúil le focail Bhéarla ach brí eile ar fad leo. Bíonn mise i

gcónaí i dtrioblóid leo—ach má bhím, is minic a
bhíonn na hItaliani freisin. Is ionann 'suggestivo'
agus 'pretty' agus bíonn 'suggestive views' sna
treoir-leabhair go léir. An ceann is fearr acu go
fóill: 'The view from the monk's cell of the
convent on the opposite hill is most suggestive.'

Bhí sé de mhí-ádh orm taisteal go Ravenna ar
shaoire banc. Sheas mé ar chois amháin sa
traen an bealach ar fad, gan spás agam leis an
chois eile a chur go talamh. Na fuinneoga ar fad
dúnta, boladh millteach creamha, gach duine ag
béiceadh Permesso! Permesso! agus na céadta
eile ag teacht isteach ag gach stop. Ba nuaíocht
mise sa dara grád—na strainséirí eile ar fad sa
chéad—agus bhí mé im ábhar comhrá an bealach
ar fad:

—Meiriceánach? Ní hea, is fearr a bhíonn siad
siúd gléasta, caithfidh gur Sasanach í. Meas tú
dtuigeann sí Iodáilis? Ní mheasaim—ag na Gear-
mánaigh amháin a bhíonn an teanga agus níl
dóthain bagáiste aici do Ghearmánach . . .

Uafás nuair a bhí mé ag imeacht mar gur labhair
mé amach scoth mo chuid Italiano.

Ravenna go hiontach. Is cuimhin liom cúpla
bliain ó shin go raibh taispeántas i mBleá Cliath

de chóip-mhósáicí as Ravenna. Shíl mé go raibh siad go hálainn agus theastaigh uaim ó shin dul go Ravenna. Na bunchinn thar barr, ar ndóigh le breathnú suas orthu a deineadh iad agus ní le feiceáil ar leibhéal na súl mar a bhí i mBleá Cliath.

Dá bhfeicfeá na heaglaisí beaga 6ú-8ú céad agus iad geal leis na mósáicí seo. Gan gloine sna fuinneoga ach marmar buí (alabástar?) agus solas álainn bog ag teacht isteach tríothu.

Nuair a tháinig mé abhaile as Ravenna bhí bronntanas i mo sheomra ó bhean an tí: an rud ab ansa léi dá raibh aici—an méid a bhí fágtha de shean-sean-fearas caife a mhol mé lá amháin. Chuir sé ionadh orm, mar is B. ceart an bhean tí chéanna.

Gach seachtain bíonn lá saoire nó dhó againn in onóir do rud éigin, ach ba é Lá Bealtaine bun agus barr na bhFesta go léir—Lá na nOibrí. Gach damn rud dúnta sa tír ar fad. Ní raibh bus san áit—is bhí orm na mílte a shiúl le cupán caife a fháil. Óráidí agus mórshiúil agus bratacha ar fud na háite.

Tagann go leor leor Turisti anseo don Cháisc agus arís sa tsamhradh ach ní thagann mórán in aon chor mí Bealtaine agus cuirtear gach sórt ruda ar siúl len iad a mhealladh ag an am sin. Seó Bláthanna ar dtús. Oráistí agus líomóidí, hydrangeas agus greenery. Cuma iontach costasach agus ildaite ar na hearraí ach gan aon stíl ar aon chor ag baint leis an leagan amach. (Cé go raibh cúinne beag amháin a thaithnigh liom—féar seirgthe, seasc, forget-me-nots ann agus nóiníní. Fuair mé amach ina dhiaidh gur mar seo a bhreathnaíonn do ghairdín sara chuireann tú fios ar sheirbhís X.)

Bíonn na siopaí go hálainn acu, ach níl aon tuairim in aon chor acu faoi Thaispeántas Poiblí. An scéal céanna in Aonach na gCeard agus na nEalaíon, atá ar siúl anois freisin. Gach rud déanta go hálainn síos go dtí an mhionchuid is suaraí (ach ar ndóigh plúchta faoi lilí Fiorentino) ach iad caite isteach sna seastáin gan eagar ar bith. Bhí Roinn Idirnáisiúnta acu agus stuif ann as go leor áiteanna. Ach ní raibh ceardaíocht as aon áit díobh ar nós obair Fhirenze. Is iontach na ceardaithe iad anseo ach níl samhlaíocht dá laghad acu. Níor dhein siad aon iarracht rudaí speisialta a chur ar fáil don taispeántas—gach rud a bhí acu bhí sé le fáil sna siopaí.

Caithfidh go bhfuil macántacht éigin sna hItaliani —bhí go leor seastán ann agus gan aon duine ag tabhairt aire dóibh.

I lár chlós an taispeántais bhí páirc bhídeach agus fuarán fá lánseol inti agus go leor páistí ag spraoi faoin spré le balloons móra, móra, dearga— níos mó ná iad féin. Bhí sé go hálainn. Tugadh na balloons amach saor. Ba dheas an smaoineamh é.

Bealtaine an Cheoil fá lánseol anois freisin. Coirmeacha, opera, ballet i ngach áit. Féile bhliantúil é seo le ceol dearmadta a thabhairt ar ais agus píosaí nua a thabhairt ar aghaidh. Rud éigin ar siúl gach oíche agus téann an baile go léir, uilig gléasta suas, de réir fíornós Fhirenze —ní le go gcloisfeadh siad ach le go gcloisfí iad.

Is é Dante Dia Fhirenze. Ar gach cúinne sráide tá pláta marmair, ar nós pláta ar a mbeadh ainm sráide, agus ráiteas éigin dá chuid inscríofa air. Gach ceann acu seo ar eolas ag gach Fiorentino.

Ní féidir dul amach anseo—i lár an lae ghil— gan dago nó dhó ar do shála—más strainséir thú. Bíonn na cailíní Iodálacha slíoctha i gcónaí, gan ribe as áit, bróga snasta, iad stáidiúil—agus

álainn freisin—ach ní bhacann aon duine leo.
Ach na Turisti bochta—15-50 bliana, ainnis,
míshlachtmhar, srónlonrach, foltgharbh agus de
ghnáth gránna—bíonn i gcónaí lucht leanúna
acusan.

Stailc phoist eile againn ach chuir siad siar go
hobann í nuair a d'fhág na Daonfhlathaigh Shóisial-
acha an Comhrialtas—tús áite don ní is tábhach-
taí.

Go raibh maith agat ar son do litre leis an
nuaíocht go léir, a Shinéad. Agus do litir varityped,
Bríghidín—tá sí an-stylish. Bí cinnte go n-inseoidh
tú dom faoin bhFeis Cheoil—agus ná habair 'Is
dócha gur inis duine éigin duit faoi . . .'

Rag na mic léinn anseo an lá fá dheireadh—an
trí lá agus trí oíche fá dheireadh! An chéad lá
bhí sé go hálainn—iad ar fad gléasta i gcultacha
seanaimsearacha, agus boghanna agus saigheada
acu agus pící agus coirn. Ina dhiaidh sin bhí
sé beagán troppo.

Tháinig Máire leis na hiontais a fheiceáil. Ag
dul go Trieste léi (ar feadh seachtaine) am éigin
sar i bhfad.

Más ar urlár uachtair a bhíonn cónaí ort anseo
bíonn cliabh agat le hísliú ar théad fhada leis an

bpost agus na hearraí a fháil.
Ligeann fear an phoist scréach
as agus tagann iliomad ciseán
beag síos ar nós puppets.

Grá do gach duine,
Úna

A Eibhlín a ghrá,

Lá álainn te inné agus chuir mé orm mo léine bán don chéad uair. Scanraigh siad amuigh ag an bPotaireacht.

—Momma Mia! La Primavera!

Toferelli chomh tógtha leis gur thug sé amach ag ól beorach mé in ionad tae déanta le máilín tae. Ní raibh sé tugtha faoi deara agam gur mo sheangheansaí dubh a chaith mé gach lá ó tháinig mé. Cheap siad nach raibh agam ach é. Chuaigh mé díreach abhaile agus chuir i gciseán na dramhaíle é.

Trua. Inniu tá sé fuar arís.

Rita imithe abhaile—faoi ualach málaí, cótaí, string bags agus buidéil. Sarar imigh sí chuaigh mé thart ar an gCultúr léi. Cuireann sé alltacht orm gach uair. Tá Firenze lán de pháláis a tógadh i ré na hAthbheochana agus tá siad go léir chomh hálainn sin—chomh simplí leo agus na toisí díreach i gceart i gcónaí. Tá cobar na hardeaglaise le feiceáil as gach aird agus b'fhéidir gurb é seo an rud is deise orthu go léir. Nuair a bhí an ardeaglais tógtha, fágadh faoi Bhrunaleschi an cobar a dhéanamh. Bhí faitíos ar na húdaráis, áfach, nach mbeadh sé ábalta é dhéanamh leis féin agus chuir siad Ghiberti chun cuidithe leis. Bhí fearg ar Bhrunaleschi agus d'imigh sé leis. Ar ball cuireadh scéal chuige nár éirigh le Ghiberti dul ar aghaidh gan é.

—Ach tig liomsa dul ar aghaidh go breá gan Ghiberti, arsa Brunaleschi. Mar sin fágadh faoi é. Chuir Giotto isteach ar an bpost mar ailtire ar an túr. Cuireadh teachtairí chuige as an Róimh le samplaí dá chuid oibre a fháil. Dhein Giotto cearcal le peann luaidhe agus thug sé dóibh é.

—Ach ní leor é seo!

—Nuair a fheiceann siad sa Róimh chomh maith is a deineadh an cearcal seo, tabharfaidh siad an post dom.

Agus thug. Fhaid is a bhí an túr á thógáil, bhíodh G. ina shuí ar chloch ag déanamh pictiúr dó féin agus cheapfá nach raibh aon suim aige san obair. Ach lá amháin bhí fear in airde ar dhréimire agus é ag gearradh a chuid iongnacha in áit an mharmair. Lig G. scréach leis agus thit an fear den dréimire agus maraíodh é.

—Múinfidh sin dó suim a chur ina chuid oibre, arsa G. agus lean sé leis an líníocht.

Dhein Donatello dealbh de Naomh Luis i gcóir ceann de na niches sa túr seo. Bhí cuma an-amaideach ar an dealbh agus bhí na daoine ag gearán faoi. Arsa D.

—Má thréigeann duine coróin le dul isteach i mainistir, caithfidh gur amadán é.

Bíonn scéalta ag baint le gach rud i bhFirenze, agus is breá leis na hItaliani iad a insint duit. Ní bhíonn siad i gcónaí fíor, ach nach cuma?

Tá clochar lán le mná rialta as Éirinn anseo in aice liom. Thug mé cuairt orthu lá amháin le heolas a fháil faoi dhaoine a bhí ag lorg ceachtanna

Béarla. Ag am tae a chuaigh mé. Do ghush siad
go leor agus ar siad:
  —You must come and have tea with us some day.

  Mo chara seanda ar ais. Chuaigh mé go Lucca
léi lá. Tá séipéal an-deas ann, San Michele. Tá sé
chomh bán le sneachta agus tá aingeal mór lonrach
ag éirí suas san aer os a chionn. Leis an spéir
ghorm taobh thiar de bhreathnaigh sé go hálainn.
  —When I was getting married to dear Mr.
Hewitt I wanted them to make my wedding cake
like that, but they said 'twould be more suitable
for my wake.
  Chuaigh mé thart ar na siopaí seandaíochta
léi. Gach anois is arís stopfadh sí: 'Fakes, all
fakes.' Bhí mé náirithe aici. Ach níor ghá dhom
bheith náirithe. Cine siopadóirí na Fiorentini
—chomh crua le cloch agus gan goilliúnacht dá
laghad iontu.
  Murach an British Institute níl fhios agam
céard a dhéanfainn. Níl leithreas eile san áit.
Do mhná, sin le rá. Uafáis déanta de thílí glasa
gach deich slat do na fir.
  Chuaigh mé féin agus Randy suas an sliabh an
lá fá dheireadh ar lorg *La Terrazza*—taverna go

bhfuil clú air thall is abhus. Tóg muid bus isteach
san fhásach, agus shiúl muid is shiúl muid. Fá
dheireadh d'aimsigh muid é—siopa beag suarach
gan fiú ainm, a raibh trí boirdíní salacha taobh
thiar de. Fearín beag deas ar nós Tomás the W.
a bhí ina mbun, ach bhí an bia go hiontach. Fán
am a tháinig muid bhí sé mall go maith ach ba
chuma leo. Thug siad muc deataithe dúinn le
ollanna agus miosarúin fhiáine, sicín ón róistín
faoi anlann dá ae féin, sútalúin sléibhe a bhí ar
bogadh i bhfíon, rumchaife agus home brew.
Is iontach an cócaire é Randy féin agus de ghnáth
nuair a thugann sé ag ithe mé, amach leis sa
chistin, féachaint bhfuil gach rud chun a shásaimh.
Bím náirithe aige, ach ceart go leor, nuair a
thagann an béile bíonn sé go hálainn. Ach níor
bhac sé leis an gcistin san áit seo.

—I knew from the set-up it would be right, kid.

B'shin an lá d'inis sé an Life Story dom. B'as
an tSicil do na tuistí ach tá siad in Nua-Eabhrac
le fada. Bhíodh siad saibhir ach ansin tháinig an
drocham agus anois tá siad bocht go leor. Ar
eagla go mbeadh súil agam air, is dócha. Chaith
muid an fhaid sin ag ithe gur chaill muid an bus
abhaile agus thóg sé uaireanta fada orainn siúl

chuig an traen, agus ní deas an rud siúl i ndiaidh aenna sicín agus home brew. Lá eile chuaigh mé go Faenza. Musaem potaireachta tábhachtach ansin. Ós rud é gur le foghlaim faoi photaí a tháinig mé chuig an Iodáil i dtús ama cheap mé go mba mhaith an rud ceann nó dó a fheiceáil. Seanstuif agus stuif nua ann as gach tír—ina measc, pota beag deas as Carrigaline.

Níl mé ag foghlaim aon Iodáilis agus iad siúd amuigh i Sesto is ciontach. Nuair a fhiafraím ainm rud éigin, is mór an spraoi acu focal mífholláin a insint dom. Anois bíonn faitíos orm aon fhocal a chloisim uathu a rá arís.

Théadh Rita agus mé féin go minic chuig café beag sa tráthnóna. Ba le Roberto Sinsear agus Roberto Sóisear é. Bhí Béarla á fhoghlaim ag Roberto Sóisear

agus bhíodh muide ag cuidiú leis—Roberto Sinsear
i rith an ama ag líonadh scoith na ndeochanna
dúinn. D'éirigh muid an-chairdiúil leo agus leis
an gclientèle. Nuair a d'imigh Rita, cheap Rober-
to Sinsear go mbeinnse uaigneach gan í, agus
tharla go raibh seisean uaigneach freisin, an dtioc-
fainn ar chuairt chuig casa mia—fhaid is bheadh
Roberto Sóisear i mbun an tsiopa . . . Is í an
trioblóid anseo nach féidir bheith cairdiúil ach
amháin le leithéidí Toferelli.

Cé dúirt liom go raibh muintir na hIodáile
beo, bríomhar, agus cultúrtha? Tá siad beo
ceart go leor, agus cuid acu bríomhar. Níl dhá
cháilíocht as trí ródhona, is dócha.

Agus maidir le creideamh, tá níos mó agam
féin. Níor dhein siad aon iarracht ar mo sparán
a sciobadh, áfach (ba bheag ab fhiú dóibh é).

Tá mo mheas ar mhuintir na hÉireann ag
méadú in aghaidh an lae.

Clúdaíonn sin sibhse, freisin.

le grá ó
Úna

Presso Corsini

Firenze

14.6.57

A Eibhlín a ghrá,

Theastaigh alt ar an Tóstal ó mo Mheiriceánach, mar sin léigh mé na léirmheasta ar fad san *Irish Times* ach scanraigh an cultúr mé. Ach is $30 $30 agus dá bhrí sin dhein mé cur síos aibidh ar na himeachta i mBéal Átha Dá Chab agus Muicean-achidirdhásháile. Beidh an chéad Tóstal eile plúchta le Americani.

Beidh mé anseo go ceann míosa le aire a thabh-airt do cheolán de chailín beag. (Tá an t-athair ar shiúl le blonde agus ní thógfainn air é agus caithfidh an mháthair dul ag obair.) Leis an fhírinne a rá is sclábhaí go ginearálta mé: déanaim glanadh, cócaireacht, siopadóireacht agus corr-bhéic leis an gceolán a chiúnú. Maidir leis an nglanadh, níl an caighdeán ró-ard: ní maith an rud é bheith ró-hygienic—ar eagla polio tá fhios agaibh. Is mór an spórt é an siopadóireacht. Sa mhargadh blaisim de gach rud: 'Non buono,' arsa mise, agus tugtar dom ar leathluach é. Ní hionann is Sráid uí Mhordha—chaithfí leat é!

Ciallaíonn cócaireacht pota mór anraithe agus brúitín a réiteach inniu a dhéanfaidh trí lá muid; meacain dearga a scríobadh—tá siad go maith don ae (ní ólann muid fíon—tá sé go holc do na duáin); an t-arán úr a chur ar leataobh go dtí go mbíonn caonach liath air, ansin é chlúdach le margairín—mar gheall ar an vitimín D. Bogthe a bhíonn gach rud:

—Sa Fhrainc, téitear na plátaí—ar airigh tú riamh a leithéid?

Na mná anseo, is cosúil go mbíonn siad gan stuaim dá laghad, sin nó uafásach intleachtúil. Tá bean an tí seo uafásach intleachtúil. Léigh sí *Ulysses* i bhFraincis agus *Finnegans Wake* in Iodáilis—nó sin a deir sí. An-mheas ar fad ar ár James J. sa tír seo. Bíonn na páipéir sheachtainiúla i gcónaí ag cur síos air. As Inghilterra dó ar ndóigh—ar nós Oscar Wilde, Yeats agus T. S. Eliot.

Sna fobhailtí—an ceantar is intleachtúla orthu —a tá cónaí orainn. Moderno Appartamento (folcadh agus uisce te). Tá muid thuas ar bharr an tí agus radharc álainn againn ar na sléibhte a dheineann fáinne timpeall ar Firenze. Díreach taobh amuigh tá an abhainn (a tá lán anois, ach

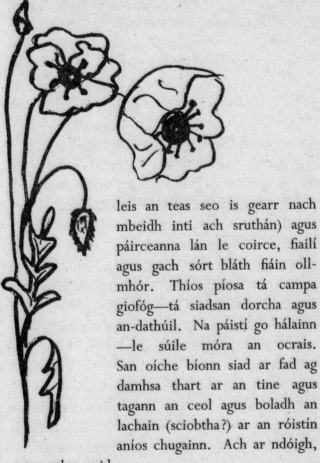

leis an teas seo is gearr nach mbeidh inti ach sruthán) agus páirceanna lán le coirce, fiailí agus gach sórt bláth fiáin oll-mhór. Thíos píosa tá campa giofóg—tá siadsan dorcha agus an-dathúil. Na páistí go hálainn —le súile móra an ocrais. San oíche bíonn siad ar fad ag damhsa thart ar an tine agus tagann an ceol agus boladh an lachain (sciobtha?) ar an róistín aníos chugainn. Ach ar ndóigh, my mother said . . .

Is treise cumhacht na cléire anseo ná in Éirinn fiú

amháin. Na scoileanna (stáit) ar fad, is Caitliceach a tá siad. Cuma Protastúnach nó Giúdach nó whatever thú bíonn crois i ngach seomra agus teagasc Críostaí mar phríomhábhar. Tá scoileanna príobháideacha ann ach tá siad an-daor. Tá raic ar siúl faoi láthair faoi aiste a tugadh le scríobh do pháistí sna scoileanna: 'Cur síos a dhéanamh ar chonas mar a théann cumannachas, liobrálachas agus sóisialachas i gcoinne na 7ú aithne.' Sin é an sórt oideachais a tugtar dóibh sna scoileanna. Mná rialta a tá mar bhanaltraí sna hospidéil ar fad. Tá an Bord Cinsireachta acu níos déine i bhfad ná mar a tá againne sa bhaile.

Tá mé i ndiaidh deontas a fháil le dul ar an Iolscoil i bPerugia don samhradh. Bíonn cúrsaí speisialta acu ansin do strainséirí, ar chultúr, teanga, stair na healaíne agus what have you, a bhaineann leis an saol san Iodáil. Cúrsa an-mhaith é, deirtear liom, agus tá Perugia an-ard, mar sin ní bheidh sé chomh te le Firenze. Tá sé i gceartlár na hIodáile agus lá breá is féidir an dá fharraige a fheiceáil uaidh. Tá Assisi (Naomh Proinsias) díreach taobh leis (an chéad chnoc eile). Chuaigh mé ann lá agus tá sé an-deas ar fad. An-sean—sráideanna beaga bídeacha, bídeacha, ar

nós na Gréige. Ballaí aol-
daite, comhlaí glasa agus
miúileanna feistithe amach
le ribíní agus cloigíní (níl
fhios agam cad as a dtagann
na miúileanna ar fad sa tír
seo). Na fir ag déanamh
coinnleoirí iarainn agus na
mná ag bróidnéireacht, do
na Turisti—níl acu anois
ach sin. Tá séipéal N. Proinsias go hálainn. Na
naoimh seo, d'aimsíodar na háiteanna cónaithe
is deise dóibh féin. Tá local brew acu ann—
fíon bándearg—a tá go hiontach.

Sa tráthnóna bíonn beirt pháiste
agam le Béarla a mhúineadh dóibh.
Tagann siad gléasta go péacach ach
gan naipcíní. Lách ach tiubh, agus
gan tuiscint dá laghad ar bhéasa.
Ní íocfadh airgead ar bith thú ar
a leithéidí a mhúineadh. Ansin san
oíche, uaireanta, bíonn fear as Trieste
agam—a bhfuil níos mó Béarla aige
ná mar a tá agamsa agus a tá
ag éirí grámhar. Mar sin a tá

an saol. Tá go leor, leor, leor daoine ag iarraidh airgead a thabhairt ar Bhéarla a fhoghlaim, ach bíonn dris chosáin ann i gcónaí.

Tá bóthar in aice linn anseo arb ainm dó Via dei Malcontenti. Tá sé fada agus ainnis agus bocht. Clochar ar thaobh amháin agus teach cruinnithe leis an bPáirtí Cumannach ar an taobh eile.

Bhí Festa eile againn an lá fá dheireadh—in onóir don earrach (!) an uair seo. Chuaigh gach duine chuig an bPáirc áitiúil (a tá rud beag ar nós Pháirc an Fhíonuisce) ag lorg criocaidí. Bhí ar gach cailín ceann fireann a fháil, gach buachaill ceann baineann. Conas a aithnítear an difríocht, níl fhios agam. Ar chaoi ar bith bhí siad ar díol, aicmithe go cóir, i gcásanna geala ar fud na háite. Bhí damhsa ar siúl, ceol, ól (caife ar ndóigh). San oíche ní raibh teach i bhFirenze gan criocaid-i-gcás ar crochadh san fhuinneog.

Go raibh maith agat ar son na stampaí, Eibhlín. Tá sé go hiontach go bhfuil post ag Ailbe i gCathair na Mart. Beidh sé go deas gaolta a bheith againn arís i Muigheo, God Help Us.

Ná bac an gúna a chur ar aghaidh chugam. B'fhéidir go mbeadh trioblóid leis na custaim.

Ach an gcuirfeadh sibh mo bhlús shantung—an ceann a thug tusa dom Eibhlín, agus an ceann síoda bán chugam? Tá siad i dtarraiceán i mo sheomra. Tá siad beag agus is féidir iad a chur i gclúdach, tá súil agam. Níl aon deifir leo.

Tá buntáiste amháin ag bean an tí seo. Bíonn sí i gcónaí ag iarraidh éalú ó cháin a íoc. Tagann fear gach lá ag lorg cháin an radio ach deireann sí gur ainm eile ar fad a tá uirthi nó nach léi an gléas.

Ní thagann cuairteoirí fánacha chuig na tithe anseo riamh. Uair sa bhliain tugtar cuireadh do dhuine teacht don tae, ach taobh amuigh de sin ní thagann aon duine—ach amháin fear na gcáin.

Go deireadh mhí Mheithimh mo sheoladh: Presso Corsini, Firenze. Ó thús Iúil: Presso Fifi (nach deas sin?), Piazza dell' Università, Perugia, Italia.

Grá do gach duine. Conas tá Mrs. T.?
Úna

Presso Corsini

Firenze

20 *Meitheamh*

A Eibhlín a ghrá,

Tá feochadán mór buí i mbláth ar bhruach na habhann. Tá sé ard agus caol agus an bláth air chomh mór le plúr gréine.

Tá mé marbh ón obair tí. Laethe saoire ag Pamela (an ceolán) anois agus bíonn sí i gcónaí faoi mo chosa. Chomh dána le muc a tá sí, ach thug mé sceilp di inniu, rud nach bhfuair sí riamh lena saol, agus tá sí socair go maith ó shin. Bíonn sí ag lorg 'pane olio' gach dara nóiméad agus is salach an job é íle a chur ar arán agus an páiste agus an teach a ghlanadh ina dhiaidh. Go bhfóire Dia orm nuair a thagann an ceathrar eile—tá ceathrar eile ag teacht ar saoire chugam an tseachtain seo chugainn. Bean an tí, Signora Corsini, ina leaba le trí lá. An-tinn. Éiríonn sí le béile mór a ithe, ach

bíonn sí go dona go hobann arís in am don wash up.
Is mór an crá croí í. Tá sí chomh fiosrach. Tag-
ann sí i gcónaí amach sa halla le héisteacht nuair
a bhímse ag caint ar an nguthán. Ar ndóigh
stiúraím mo chuid comhrá go speisialta le ábhar
iontais a thabhairt di.

Ach oíche amháin bhí mé ag magadh ar an
nguthán—cheap mé gur le Randy a bhí mé ag
caint agus dhein mé coinne leis. Cé bhí ann ach
an dalta grámhar—Signor Trieste.

Bhí leathlá agam an lá fá dheireadh. Bhí sé
go hiontach bheith saor agus gan orm brostú
ar ais leis an suipéar a ullmhú. Bhí an lá go hálainn
agus chaith mé an tráthnóna ar bhalcóin Randy—
bhí seisean istigh ag ullmhú an tsuipéir. Go deas
feoil agus fíon a fháil arís, agus rud éigin seachas
cairéid. Tá árasán ag Randy agus Riccardo (as
San Salvadore), gach deis nua-aimseartha, uisce
reatha agus balcóin. Bíonn Riccardo i gcónaí
briste ach tá cuntas aige i siopa faiseanta sa chathair,
agus nuair a bhíonn a mheanma íseal ceannaíonn
sé léine (ar an scláta) ar £6—go maith don mho-
rale!

Uaireanta tógann muid bád (le fáil ar chíos 7d
san uair) suas an abhainn chuig taverna beag

faoin tuaith. Bíonn an bia go maith anseo agus tugann muintir na háite isteach na fidilí agus na feadóigíní agus bíonn ceol agus cantain ann go maidin. Nó uaireanta eile téann muid chuig na pictiúir sa local (buachaillí bó agus Indiaigh). Osclaítear an díon le aer a ligean isteach ach uaireanta sara mbíonn an t-am acu é dhúnadh tagann an bháisteach agus bíonn muid ar fad báite.

Cheannaigh Signora C. potaí do shalann agus piobar dom sa mhargadh, ach nuair a tháinig sí abhaile thaithnigh an 'piobar' chomh mór sin léi gur choinnigh sí di féin é—thug sí an 'salann' domsa.

Mar uplift thug sí chuig tae tráthnóna mé lá amháin, chuig Baronessa-i-villa, cara léi. Bhí am an ghátair tagtha anseo freisin agus bhí sé sórt truamhéileach, an seanvilla álainn, dearóil, agus an Baronessa féin ag ní na soitheach. Vermouth agus císte sticky a bhí againn agus labhair muid faoi na seanlaethe agus bhreathnaigh muid ar an ngrian ag dul faoi agus d'éist muid le píosa de shiomfóin (le mír den chomhrá a shoiléiriú) ar an ngramafón. Bí ag trácht ar uplift!

Tá cultacha bána ar na traffic cops in aghaidh na gréine—tá siad ar nós lucht freastail marbh-lainne.

Café an-phosh is ea an *Giubbe Rose*. Ar na boird amuigh faoin aer tá éadaí boird de líneadach Éireannach—tá's agaibh na cinn le buidéil agus treoracha do chocktails orthu. Anseo a thagann an tArty Set ar éirigh leo saibhreas a bhaint amach. Theastódh an saibhreas.

le grá ó
Úna

A Eibhlín agus uile,

Go leor, leor litreacha fada lán de nuaíocht uaibh a chuir aoibh orm; agus litir ó Phop—rud nach bhfuair mé ach uair amháin cheana lem shaol; agus litir dheas ón aturnae, ag súil go bhfuil mé ag baint tairbhe as an gclaochló aeráide. Scríobh mé ar ais ag rá Tá. Agus mo bhlúsanna ó Eibhlín, agus go raibh míle, míle maith agaibh go léir ar son na dtairiscintí go léir ach dáiríre tá an iomarca de gach rud agam ach má theastaíonn aon rud cuirfidh mé telegram ar an bpointe.

Dio mio, an tseachtain deireannach a chaith mé i bhFirenze. Tháinig an ceathrar páistí eile ar cuairt, uilig faoi bhun a sé—bolgach na n-éan orthu go léir—uilig gan béasa. Ach nuair a bhí mé ag imeacht Dé Domhnaigh, bhailigh siad ar fad a gcuid pingne agus cheannaigh siad bosca milseán dom agus chuir sé náire orm i ndiaidh bheith chomh crosta sin leo an tseachtain ar fad. Ní raibh aon duine acu ábalta 'r' a rá agus bhí sé an-ghreannmhar mar gurb í 'r' an fhuaim is láidre san Iodáilis. Fuair mé ceann acu (4 bliana) ag an abhainn maidin amháin agus é absoluto nocht!

—Ach dúirt tú liom mo phyjama a bhaint agus níor dhúirt tú liom mo chuid éadaí a chur orm! Bhí alltacht ar na comharsana.

Duine eile acu ag caoineadh is ag caoineadh lá eile—níor thaithnigh mo chuid gruaige leis —theastaigh uaidh go mbeadh plaits orm ar nós Chlara (cla-bha).

Tá mo chuid gruaige fásta fada agus bhí orm cíor (raic?) a cheannach. Tá mé ar nós Mona Lisa.

Bhí peata francaigh, Teodora, ag Pamela agus rug sí ocht peataí beaga francacha (Teodorini), mar sin ba mhithid domsa imeacht. Fuair mé cuireadh coicíos a chaitheamh le Pamela cois

farraige i rith an tsamhraidh. Cuireann an fharr-
aige múisiam ar a máthair—ach fán am sin bhí
Pamela ag cur múisiam ormsa agus dhiúltaigh mé.
I ndeireadh na dála, áfach, sílim go raibh áthas
ar bhean an tí. Tharla, an oíche dheireannach dom
bheith ansin, gur tháinig mé abhaile súgach agus
mhúscail mé an líon tí go léir ag comhrá leis an
Signora—ach mé féin sa scáthán a bhí ann.

Mar sin, Dé Domhnaigh tháinig mé go Perugia
—leath de mo chuid sealbha fágtha i mo dhiaidh
—ar nós Berengaria. Phioc mé an teach seo as
an liosta mar gurb é an ceann is saoire ann é ach
tá sé go hiontach. An bia go han-mhaith ar fad,
i gcónaí te, i gcónaí éagsúil. Sicín lá amháin alla
rud éigin, banbhín rósta alla rud éigin eile inniu,
go leor fíona, sólaistí ar nós arán úr don bhric-
feasta; agus ní raibh meacain dearga
againn ó   tháinig mé.

Ar nós gach áit eile (ach amháin Firenze), ar
bharr cnoic a tógadh Perugia agus bíonn ort dul
suas staighre nó síos staighre chuig gach rud.
Tá an teach ag ceann dhá staighre ach siúlann tú
díreach amach sa ghairdín uaidh. Ansin a tá mé
anois (brat chraiceann caorach agus bord agus
mám plumaí curtha ar fáil dom ag bean an tí)
agus tá fíonchaora agus péiríní, sicíní agus lachain,
níochán an Luain agus goirmíní thart timpeall orm.
Am siesta atá ann agus tá an chlann ar fad sa
leaba. Tá an chlann chéanna chomh líonmhar
le muintir Forde as Rinn, tá 13 againn ar fad.
Níl fhios agam fós cé mhéid againn is muintir

Fifi agus cé mhéid is lóistéirí. Bíonn siad ar fad ag caint ag an am céanna agus ní thuigim focal dá mbíonn á rá acu ach is mór an spórt iad agus tá folcadh againn agus níl T.V.

Sa choláiste bíonn léachta ó 8 a.m. go 1 p.m. gan stad agus arís ó 5 p.m. go 7 p.m. Léachta ar theanga, litríocht, stair, stair na healaíne, ailtireacht agus cibé.

Tá mé cinnte go bhfuil siad ar fad an-suimiúil (ollúna sárléannta ó iolscoil-eanna uile na hIodáile!) ach bíonn na slóite daoine acu agus bíonn sé an-te agus ní thuigim mórán agus murach an

deontas as go brách liom go dtí an tSicil . . . nó an Ré. Na mic léinn: na mná óg agus maiseach nó ag iarraidh bheith óg agus maiseach i ngúnaí beaga cadáis, le fonsaí. Na fir: bright young fellows, cuid acu geal, cuid acu gorm—léinte oráiste orthu go léir. Tá triúr Éireannach ann —beirt chailín nach bhfaca mé fós agus buachaill (mac léinn ailtireachta). Fuair siad deontais ón Institiúid Iodálach i mBleá Cliath. Tá siad ann as an mBrasaíl agus Borneo agus an tSín agus ar ndóigh Berks. agus iad ar fad too too frightfully.

Cheannaigh mé recorder ach sílim nach n-oireann an t-aer Iodálach dom cheolsa mar ní féidir liom nóta ar bith a bhaint as ach amháin *God Save the King* agus ní leor sin.

An bhfuair Ailbe teach fós i gCathair na Mart? Is féidir libh mo ghrá ó chroí a thabhairt do na Gaolta Eachtracha. Nach trua nach mbeidh mé sa bhaile? Scríobh mé chuig Síle ach ar ndóigh ní bhfuair mé freagra. An bhfuair Cian a leabhar póca? Tá tuairim agam gur chuir mé sa phost é gan seoladh. Tá Hollyhawks taobh thiar díom (just like dear old Cillfhinghín!).

Grá do gach duine,
Úna

Bhí scaoith nuns ag caint Gaeilge liom ar an traen as Firenze.

Lúnasa 1

A Eibhlín a grhá,

Chuaigh Valerie ag múineadh Béarla i gclochar sna sléibhte.

—Will they mind my not being a Christian?

—Not a bit if you don't tell them, arsa mise.

Bhí litir agam uaithi. Tá fhios aici anois gur le múineadh a cuireadh ar an saol í.

—If you could only see what I've done for those kids . . . and after only one week. An Ealaín caite suas aici, 'though I know I have it in my bones,' ar mhaithe leis an nglaoch seo ó Dhia.

Cárta ó Mhancinelli (Sesto). Tá sé pósta agus ar mhí na meala san foslainn. Ar an mbealach ansin chonaic sé rudín beag glas amach uaidh san fharraige agus bheannaigh sé dó ar eagla gurbh Irlanda a bheadh ann. Ba mhaith le Rita i gcónaí go dtiocfadh sé go hÉirinn.

—I'd love to see the faces of the Kilkenny people when they'd see him walking up Patrick St.

Tá mé scríobh seo i mo sheomra leaba—a tá go hálainn. Tá sé díreach ar nós cillín i mainistir.

Aoldath, leaca, pictiúir naofa. Níl frill ná fonsa ann, rud is iontach san Iodáil. An t-aon ornáid nóinín mór i ngloine. Níl aon chur í gcéill sna Fifi mar a bhíonn sna hItaliani de ghnáth. Deineann siad gach rud go simplí agus go deas. Tá an oiread sin acu ann nach bhfuil spás don ornáidíocht, b'fhéidir. Orthu tá an tseanmháthair— a cheapann gur duine acu féin mise. Chaill sise an comhaireamh fadó. Agus Sor Gino, an t-athair, búistéir. Bíonn sé ina shuí óna 4 a.m. ag tabhairt aire dá ghnó, ar ais meán lae le slam mór feola don dinnéar agus ansin as go brách leis ar an spraoi agus ní fios cathian a thiocfaidh sé abhaile. Duine lán le spraoi agus an-deas é ach is mór an t-ionadh nach bhfuil croí Signora F. briste aige fadó. Bíonn sise i gcónaí ag obair agus i gcónaí ag gáire. Deineann sí tubán mór níocháin roimh bricfeasta (mar go n-imíonn an t-uisce ar 8 a.m.). Don níochán tógadh tubán mór marmair sa ghairdín le sconna agus clár níocháin d'eibhear. Tubán beag taobh leis don rinseáil. Ansin bíonn sí ag

glanadh is ag cócaireacht, ag cniotáil is ag iarnáil.
Chomh luath is a bhíonn na gréithre nite i ndiaidh
béile amháin, bíonn sé in am béile eile a ullmhú.
Ach san oíche ní bhíonn aon tuirse uirthi agus
leanfaidh sí ag insint scéalta nó ag imirt cártaí
go maidin má fhanann aon duine ina shuí léi.
Sílim gurb é an fíon a choinníonn an croí inti.
Níl fhios ag an gclann go n-ólann sí in aon chor,
ach tá fhios agamsa. Gach leathuair cuireann sí
fios ormsa isteach sa chistin. Dúnann sí an doras
orthu go léir. Bíonn dhá ghloine mhóra fíona
líonta amach aici. Ní hamháin mar gheall ar na
gloiní fíona, is breá liom bheith sa chistin léi.
Mar dhea go mbím ag cuidiú léi ach dáiríre is
ag foghlaim uaithi a bhím. Is iontach an cócaire
í, agus anois tá mé féin ábalta na pasta agus na
hanlainn agus go leor rudaí eile a dhéanamh.
An t-aon trua—nach mbeadh riamh agam im
theachsa banbhín deoil le róstáil ar bhiorán
iarainn nó leathbhuidéal branda le stealladh san
anlann. Ní bheadh fhios agat gur chaith Signora
F. tréimhse fhada i gcampa géibhinn le linn an
chogaidh agus gur rugadh páiste di ann.

Ansin tá Giuliano, an mac is sine. Tá rud
éigin diamhar ag baint leis siúd. Tagann sé agus

imíonn sé agus níl mé róchinnte céard a bhíonn
ar siúl aige. Gian Carlo an duine a bhíonn i
gcónaí sa tseomra folctha. Tagann Rita, an cailín
is óige, chugamsa ar maidin, 'Brostaigh, nó beidh
G.C. romhat.' Tá Rita agus Rosanna, an cailín
eile, le pósadh sar i bhfad (cé nach bhfuil acu ach
17 agus 19 bliana) agus bíonn siad gnóthach ag
líonadh an Bottom Drawer. Fiú amháin na
héadaí soitheach, tá siad á ndéanamh acu. Dhá
dhosaen an duine—iad ar fad láimhdhéanta. Is
iad Nando agus Renzo na leannáin agus bíonn
siadsan i gcónaí sa teach freisin. Ní raibh fhios
agam go dtí le gairid nár Fifi iad. Ábhar tréidlia
is ea Nando agus tá post ag Renzo le Olivetti.
Bhíodh sé ag magadh fúmsa ag rá go dtabharfadh
sé Olivetti dom do mo lá beirthe.

—Dé Luain mo lá beirthe, arsa mise. Nuair
a tháinig mé abhaile Dé Luain bhí party ann,
buidéal Jameson agus uile. Ní raibh fhios agam
céard a bhí ar bun go dtí gur thug Renzo bosca
mór millteach dom agus clóscríobhán bídeach
(bréagán) ann. Níor mhaith liom a rá nach raibh
mé ach ag magadh.

Tá Franco ag foghlaim Béarla agus léann sé
sliocht as an 'Eereesh Teemes' gach oíche; agus

is é Augusto an duine is óige. Sínis a labhraíonn
A. agus mé féin le chéile i gcónaí:

—Ying sing lung?

—Nan ching!

Tá Signora F. lánchinnte gur mhúin mise an
teanga do A. ó tháinig mé.

Is lóistéir í Paola—cailín an-deas ón deisceart.
Daonfhlathach Críostaí láidir is ea í agus bíonn
an chuid eile i gcónaí ag iarraidh fearg a chur
uirthi.

As an Ailgéir do Jacques, lóistéir eile, agus
bíonn siad ag troid leis siúd faoin gcogadh san
Ailgéir. Agus cosúil le teach na Mímhí, bíonn
fánaí istigh acu i gcónaí.

Tá siad ar fad an-chliste agus is féidir leo labh-
airt faoi go leor rudaí seachas an grá! Is í Lupa
an tAlsásach. Tá sí an-bhéasach. Deirtear 'Lupa,
va in cucina!' agus amach léi sa chistin. Ach má
deirimse 'Lupa, va in cucina,' croitheann sí
a heireaball agus fanann mar a mbíonn sí; is mór
an masla é dom chuid Italiano. Thugadh gach
duine píosa aráin tirim do Lupa ón mbord agus
bhíodh sí an-sásta. Ach thom mise san anlann
di é agus anois ní thógfaidh sí tirim é.

Tá lacha óg acu amuigh sa ghairdín. Bhaist

mise Giacomino air mar go bhfuil sé cosúil le Jacques. Anois ní gá ach 'Giacomino' a ghlaoch agus isteach leis go béasach.

le grá ó
Úna

Níorbh aon mhaith 'Va in cucina' a rá lenár mBrumas. Conas tá sé? Agus sibh go léir?

Ú.

Perugia

Lúnasa 4

Domhnach

A Bríghidín a ghrá,

Bhí sé go hálainn do litir fhada a fháil leis na
scéalta go léir. Tá mé uaigneach don ghaoth agus
don bháisteach. Tá sé chomh te anseo
nach féidir dul amach ná dul chuig
léachta mar sin caithim mo chuid
ama go léir (gan trácht ar mo
chuid airgid) sna taverne.
Some day no doubt I'll
rue it. Tá an Cath Gaelach
lánstaonach imithe abhaile

ach tá Adèle agus Joy, beirt a bhí i gC. na T.
liom, tagtha. Chaith mé an lá ar fad inné ag lorg
Eaglais Phrotastúnach do Joy. A leithéid de rud
i Sancta Italia.

Na fígí agus na melons aibidh ar 4d an punt.
Beidh na fíonchaora istigh lá ar bith feasta.
Péitseogaí chomh flúirseach go bhfuil siad á
gcaitheamh amach acu. Na trátaí is fearr ar 2d
an punt. Feoil chomh daor go bhfuil gach duine
ag ithe feoil chapaill. Búistéir fear an tí anseo,
mar sin cois uain agus gríscín mairteola a bhíonn
againne.

Bhí mé ag snámh sa Mhuir Aidriaid Dé Domh-
naigh. Thóg an turas ceithre huaire i mbus ach
bhailigh muid roinnt cultúir ar an mbealach.
An trá ar foluain le cultacha spraoi chic, agus
cnis ghrian-leasaithe. Ach ní raibh aon duine
san uisce.

Grá do gach duine,

Úna

A Eibhlín a ghrá,

Tá cailín an-deas tagtha ó Bhleá Cliath ar scoláir-
eacht ón Istituto Italiano. Ar dtús níor thaithnigh
an Iodáil léi.

—Oh Úna, isn't Italy ghastly? Wouldn't it
be heavenly to be at home? Thug mé chun tae
tigh Fifi í agus d'éirigh sí féin agus Franco seo
againne an-mhór le chéile ('But how will I tell
Mummy?') Anois agus í ar tí imeacht:

—Isn't Italy heavenly, Úna? Isn't it ghastly
having to go home?

Tá triúr anseo as Dún Dealgan freisin agus is
mó Gaeilge ná Iodáilis a cloistear sa choláiste.
Agus anois tá Adèle—a tá tuirseach cheana féin
den 'altissima cultura'—agus Joy, beirt a bhíodh
i gColáiste na T. liom, tagtha. Bhí muid ag lorg
Eaglais Phrotastúnach do J.

—Bhuel, tá ceann agus níl, a deir fear linn.

—Céard tá i gceist agat, tá agus níl? a deir
Adèle.

—Bhuel, ar seisean, tá tempio pagano anseo

ceart go leor ach ní bhíonn aon seirbhísí págán-
acha ann níos mó.

Níl dealbh ná freascó ná ceann tua Eatruscach
sa chuid seo den domhan nach bhfuil feicthe
agam agus níor chodail mé oiread lem shaol is a
chodail mé le mí anuas ag éisteacht le héirim na
hIodáile ag caint orthu. Neo realismo agus Neo
gach rud eile agus tá mé chomh tuirseach sin den
chultúr nach dteastaíonn uaim a fheiceáil ach
páirc ghlas, ach mar dúirt Françoise Henry,
'That's the one thing you won't be able to find.'

Tháinig Randy le slán a rá roimh dul go Copen-
hagen. D'fhan sé cúpla lá agus chuaigh muid ag
breathnú ar radharca na háite. Chuaigh muid
go hAssisi arís. Bhí lán bus de fhámairí
Meiriceánacha caillte ag treoraí ansin.
D'fhág sé san eaglais iad nóiméad agus
nuair a tháinig sé ar ais sight ná light
díobh ní raibh ann. Fuair muid sa
tábhairne ba ghaire iad.
—Yes, we'd seen all the frescoes.
Bhí sé an-te agus mar sin d'fhan
muid féin ann freisin.
Agus chuaigh muid go Deruta:
sráidbhaile beag gan tada ann ach

potaireachta. Áitín an-deas. Plátaí le haghaidh
ainmneacha, cnagairí, scríobairí bróg—iad ar fad
déanta as La Ceramica. Agus anois tá Randy i
gCopenhagen agus cé an mhaith dhom litreacha
fada grámhara.

Tá clochar measctha acu in Assisi—b'fhéidir
go dtógfadh siad ann mé. Answer to a maiden's
prayer is ea an clochar seo—an t-aon cheann sa
domhan. Fir agus mná (ardintleachta) ag oibriú
le chéile do chum glóire Dé. Tá na Fifi an-
bhuartha go bhfuil Randy imithe go Copenhagen
gan mé. Má thagann fear ar cuairt chugat an
bealach ar fad as Firenze, caithfidh gurb é grá
do chroí é. Ansin ligean dó imeacht go Copen-
hagen gan tú . . . Bíonn siad ag faire ar an bpost
ag súil le litir as C. agus bíonn an-díomá orthu
mura mbíonn ceann ann.

Tá mé ag scríobh i gcónaí don Americano
agus bíonn high times agam leis na dollair. Ach
tá mé beagnach spíonta—Tóstal, Capaill, Cailíní
agus Poitín. Céard eile a tá ann? Is iontach an
saol a tá ag an Americano seo. Sullivan is ainm
dó ach deir sé nach bhfuil aon seanmháthair
Éireannach aige. Is Comhfhreagróir Eorpach
Saoráideach é do iliomad seo-anna agus siúdanna

seachtainiúla thall i Meiriceá. Ach ní scríobhann
sé féin focal riamh. Bíonn mo leithéidíse ag obair
dó fhaid is a bhíonn seisean ag scootáil trasna na
hEorpa ina charr.

Ní bhíonn fios an chomhgair riamh ag na hItalia-
ni. Má chuireann tú tuairisc an bhealaigh,
cuireann siad ar bhóthar an bhus tú. Ní shiúlann
siad féin riamh bóthar má bhíonn bus le fáil.
Leis an bhfírinne a rá, ní shiúlann siad riamh ach
amháin an 'Corso.' Is é seo an bó-shiúl a bhíonn
acu (uilig gléasta suas) 6.30–8.30 gach tráthnóna
i ngach príomhshráid sa tír. Ócáid sóisialta a
bhíonn ann. Téann gach duine. Dúntar an bóthar
ar charranna. Suas, síos, suas, síos, ag stopadh
nóiméad le cupán caife a ól nó le comhrá a
dhéanamh le cara.

Tá na Fifi cosúil leis na Mímhí. Mura mbíonn
siad ag gáire, bíonn siad ag troid—gan aon bheal-
ach idir eatarthu. Maidin Domhnaigh, go rialta,
bíonn cath mór acu. Maidin Domhnaigh, mar
gurb é seo an lá a mbíonn an t-uisce te agus
bíonn raic faoi 'Cé dó an chéad dabhach eile?'
Rita agus Gian C. a thosaíonn é i gcónaí, ach de
réir a chéile tagann siad ar fad isteach ann—
seanmháthair agus uile—agus nuair nach mbíonn

an teach mór go leor dóibh a thuilleadh amach leo
sa ghairdín agus iad ag caitheamh gach rud in-
chaite lena chéile. Sar i bhfad bíonn na comh-
arsana istigh air freisin. Maireann sé leathuair
nó mar sin—béiceadh agus buillí agus Lupa ag
tafaint i dtreo go gceapfadh tú gur marbh a
bheadh siad go léir, ach ansin, go hobann, is ag
gáire a bhíonn siad agus fán am seo bíonn an
t-uisce imithe ach is cuma leo agus bíonn siad
sna best of bags go dtí an chéad Domhnach eile.

   Dhein mé trifle dóibh aréir. Léigh Franco
rud éigin faoi trifle sa 'Teemes' agus bhí siad
meallta ag an tuairisc. Thaithnigh sé go mór
leo. Thaithnigh sé go mór liomsa freisin. Chuir
mé go leor leor óil ann agus beagán de gach rud
eile. Bhí sé go hálainn. 'Threeflay irlandese.'

   Níl aon mheas ag na Perugini ar na strainséirí
a thagann chuig an gColáiste anseo agus ní
haon ionadh é. Ní mheascann siad riamh le
muintir na háite. Sa bhrú a bhíonn cónaí orthu,
agus sa bhrú a itheann siad, agus mar divertimento
téann siad chuig an Circolo—sórt club (Bar agus
T.V.) é seo a tá sa Choláiste—gan cead isteach ag
na dúchasaigh. Tá sé ar nós iasclainne—air-
conditioned agus glas. Tar éis mí nó dó anseo—

gan aon teagmháil leis an Saol Mór Amuigh, is féidir leo óráidí a thabhairt ar an saol Iodálach. 'These Italians are so damn unfriendly . . .'

Tá tábhairne álainn anseo—an *Cantina*. Thíos i soiléar i gcúl-lána a tá sé. Bairrillí móra timpeall na háite agus oíche Shathairn bailíonn muintir na háite isteach le gléasanna ceoil agus bíonn ceol agus cantain acu agus arán agus lispíní agus deoch. Is le seanbhean é agus bíonn sí féin ag cantain agus ag ól chomh maith le duine go dtí 10.30 p.m. Bíonn an clog réiti-the aici le bualadh díreach ar an bpointe agus ansin amach linn go léir, cuma lán nó folamh na gloiní. Is anseo a casadh an Peirseach saibhir orainn—an t-aon splanc gheal san Università. Tá sé an-lách, agus is breá linn vino in aisce sna drochlaethe seo.

Tá siopa beag anseo ina ndíoltar línéadach (línéadach ar fad a chaitheann na daoine is fearr). Chomhairigh mé 15 gormanna éagsúla. Ní raibh oiread is píosa amháin glas.

Níl fhios agam cé an fáth é, ach bíonn sé an-éasca dul in aon áit anseo ach ní féidir riamh bheith ag braith ar bhus nó traen le tú thabhairt abhaile arís. Nuair a chuaigh muid go Deruta, bhí go leor busanna ag dul, ceann amháin ar ais—agus é sin ar 6.30 a.m. Mar an gcéanna ag dul go San Sepulcro—a tá timpeall 30 míle uainn. Fuair mé traen ag dul gan aon bhuairt ach thóg sé an lá agus oíche orm teacht abhaile. Ach b'fhiú é. Chuaigh mé leis an *Aiséirí*, freascó de chuid Phiero della Francesca, a fheiceáil agus is é an pictiúr is fearr dá bhfaca mé riamh é. Nuair a shroich mé San S. bhí an musaem poiblí (ina raibh an freascó) dúnta agus bhí orm an baile a shiúl leis an coimeádaí a aimsiú. Bhí iontas an domhain air gur theastaigh ó dhuine dul isteach i musaem san aimsir the seo.

Gach Domhnach bíonn 'turas faoi choimirce' acu ón gColáiste—ar cuairt ar an gcultúr. Mar gheall ar iad bheith saor, chuaigh mé leo (199 acu) Dé Domhnaigh, go Pesaro. Anseo a tá an musaem potaireachta is tábhachtaí sa domhan agus theastaigh uaim é fheiceáil. Ach ar ndóigh, bhí sé dúnta. Mar sin chuaigh mé ag snámh san Adriatico ina ionad. Mé féin agus

beirt eile. D'fhan an 197 eile ar an trá. Chuaigh
muid trí Urbino agus ansin, ainneoin an 199 eile,
chonaic mé dhá phictiúr eile de chuid P. della
F. Sílim nach raibh riamh ealaíontóir chomh
maith leis. (Fágfaidh mé agaibh Leonardo agus
an chuid eile.)

Tá tionscal beag i bPesaro ina ndéantar bláth-
anna bréige. The Rale McCoy—boladh agus uile
—ar nós leabhair chócaireachta Uí Ghormáin.

Cheannaigh an Peirseach saibhir séaltóir caife
an lá fá dheireadh agus thug sé ar ais chuig an siopa
é mar nach n-oibreodh sé. Mhínigh fear an tsiopa
dó go cúramach nach bhféadfadh sé oibriú gan
caife ann. Ar nós buidéil te Ailbe fadó. 'Cuir
uisce te ann roimh úsáid.'

Le grá ó
Úna

A Eibhlín agus uile,

Níor ghá dhíbh an oiread sin litreacha a scríobh chugam, ba leor ceann nó dhó.

Níl fhios agam ar inis mé díbh go bhfuair mé deontas le teacht anseo. Ní mórán é, ach íocann sé na Fifi, mar sin ní gá dhom bheith buartha faoi luach mo bhricfeasta. Rud an-rúnda a bhí ann. Casadh fear orm i bhFirenze a chuir spéis i rudaí Gaelacha tharla go raibh cara aige fadó a raibh Irish Setter aige (ainmhí iontach—caithfidh gurb iontach an tír . . .). Dáiríre. Bhí baint éigin aige leis an iolscoil seo agus dúirt sé go socródh sé deontas dom dá mba mhaith liom é ach gan focal —focal—a rá le haon duine faoi. Gheall mise bheith i mo thost, absoluto, faoi, agus seo mé.

Anois chím go bhfuil deontas ag gach duine dá bhfuil anseo. Bíonn orthu daoine a mhealladh agus gan deontas ní thiocfadh duine ar bith. D'fhág Americano éigin go leor, leor dollar acu mar sin tá sé éasca acu.

Tá muid ár gcraoladh ar T.V. anseo na laethe

seo. 15 nóiméid a bheas muid ar an scannán, ach tá muid ag shootáil le coicíos anois. Tá lampaí, cábla, agus fir damanta T.V. ar fud na háite. Na strainséirí—ag obair agus ag súgradh. É seo ar fad d'fhonn spórt a thabhairt do na hItaliani. Tá sé chomh te, agus faoi na harclampaí bíonn dath an bháis orainn. Ina dhiaidh seo is lú fós an meas a bheas acu orainn.

Thóg siad poll snámha álainn thíos ag bun an chnoic. Le fada an lá bhí muid ag cloisint faoi La Piscina, La Piscina, agus fá dheireadh tháinig lá mór na hoscailte. Tháinig an tAire Sláinte le buidéal champagne agus bhí dromaí agus uile acu. Líonadh suas le huisce é (níor fágadh deoir ar bith sna sconnaí an lá sin) agus lá arna mhárach síos linn go léir lenár gcuid bikíní. Bhí sé folamh. Mar sin beidh oscailt mhór eile acu an bhliain seo chugainn.

Bíonn fhios acu i gcónaí an bealach is fearr le rud a dhéanamh, anseo. Actually they're rather good at it, mar a dúirt Pat. Nuair a bhí na bróga á ndéanamh dom i bhFirenze, thug an gréasaí chuig an siopa leathair mé agus phioc mé píosa álainn agus dhein mé pictiúr beag dó den sórt bróige a theastaigh uaim. Ach nuair a bhailigh mé iad, leathar eile ar fad a bhí iontu—agus déanamh eile. Cheap sé go mb'fhearr liom mar seo iad. Bhí fear scuabtha an stáisiúin ag troid le máistir an stáisiúin faoin mbealach is fearr le scuabadh; fear eile a bhí ag cur síos píopaí ag rá leis an Ingegnere nach raibh aon eolas aigesean faoi chur síos píopaí. Agus an bhean ar thug mé mo bhiorán chuici le deisiú—chuir sí ar shlabhra é. Ba dheise i bhfad mar mhuince é, ar sise.

Gach rud láimhdhéanta san Iodáil—fiú amháin na bóithre. Ní bhíonn aon bhrúthóirí cloch acu. Gach cloch láimhghearrtha—agus go deas freisin.

Tá go leor abairtí acu ar nós an Bhéarla: 'dead tired,' 'hard of hearing'; nó ar nós na Gaeilge: 't'anam ón diabhal.' Ach níl aon fhocal acu ar 'chara.' Níl acu ach duine aitheantais, nó leannán. Nuair a thagann tú mall chuig coinne, deireann siad 'Tá mé ag fanacht leathuair ''e basta.'' ' Ciall-aíonn 'basta' 'agus sin an méid,' nó 'agus is leor sin.' Tig leat do rogha chiall a bhaint as. Ní fhiafraíonn siad riamh: 'An raibh an cheolchoirm nó an leabhar go maith?' ach: 'Ti diverta?'

'Ar bhain tú taithneamh as?' Agus tá abairt deas acu sna siopaí, nó an chorruair a tugtar suíochán duit sa bhus: 'Si accomodi.' Is cosúla seo le 'Dein tú féin sa bhaile' ná le 'Suigh síos.'

Tá an oiread sin fígí ite agam go mbeidh mé fígeogeach sar i bhfad.

Ní féidir leo focal a rá anseo gan na lámha a úsáid. Bíonn geáitsí ar siúl acu fiú amháin agus an páipéar á léamh acu.

Tháinig fear na súl ndeas (as Sesto) ar cuairt chugam. Cheap sé anois go raibh Randy imithe go mbeadh uaigneas orm. Bhí sé go deas é fheiceáil—bhí carr agus rósanna leis. Ach bhí orm pláta spaghetti a chaitheamh leis fá dheireadh leis an ruaig a chur air.

Cárta óm chara seanda le rá go bhfuil sí ag teacht go Perugia. Go bhfóire Dia orm sa teas seo!

Grá ó
Úna

P.S. Thug mé cuairt ar reilig. Ná habair 'Cé an fáth?' Leachtanna marmair le deilbh den duine marbh agus a Chruthaitheoir, agus pictiúr den chlann á chaoineadh. Téann siad thar fóir fiú amháin agus iad marbh!

A Eibhlín, agus uile,

An-te le fada—122°. Fuair 65 daoine bás leis an teas—san *Irish Times* a léigh mé sin. Bhí mé ag smaoineamh ar spéaclaí gréine agus hata a cheannach ach aréir bhí stoirm álainn againn. Toirneach agus lasracha agus báisteach trom agus inniu tá muid ar fad préachta ag 78°!

An lóistín go hiontach i gcónaí—sólaistí ar nós uisce te agus iarann chomh maith leis an muicín rósta le hanlann fígí. Táim ag potaireacht arís. Pain-in-the-neck na hArty-Crafties ach ar aon nós níl siad leamh ar nós lucht an ard-oideachais san Università. Bím ar an gColáiste ar maidin agus ag pot-aireacht sa tráthnóna mar sin tá mé leathmharbh. Tá cuireadh agam Meán Fómhair a chaitheamh i bpotaireacht i nGubbio—barr cnoic eile. Áit álainn ar fad, ach níl fhios agam.

Léigh mé san *Irish Times* go bhfuil an Currach ar oscailt arís agus tá mo chroí briste.

Go raibh maith agaibh, Bríghidín agus Aoileann, ar son beart comics a tháinig tamall fada ó shin (ná bac níos mó a chur) agus cárta le stampaí nua air, agus ar son do litir álainn fada, Eibhlín, a tháinig inniu. Tá gach duine ag dul go Canada. Bhí tú go hiontach agus an crúca a chur chuig Signora Corsini—níor scríobh sí, an diabhal, agus *Leabhar Phop*—an *Magnum Opus*. *Tá me thrilled.*

Tabhairt-amach mór againn sa choláiste inné. Tháinig airí stáit agus ní fios céard eile le fáiltiú romhainn. Buidéil den stuif ab fhearr agus píóga sicín ar oighre. Tá mé ar meisce fós. Tá mé an-ramhar. Caithfidh mé régime Ailbe a fháil. Níor scríobh Síle oiread is cárta chugam.

Grá do gach duine
Úna

I.S.   An bhfuair sibh litir uaim tuairim is coicíos ó shin?

A Eibhlín a ghrá,

Ní raibh litir agam uaibh le fada an lá. Is dócha go bhfuil sibh gnóthach ag déanamh boxty do na Gaolta Eachtracha. Tá an aimsir te i gcónaí agus caithim an chuid is mó den lá sa ghairdín faoi scáth an chrann fígí. Anseo in aice liom, i measc na lachan, na ngoirmíní agus níochán an Luain, tá paiste beag fiáin: is é seo gairdín na lus, agus gach rud nár airigh tú trácht riamh air tá sé ag fás ann—i dtranglam ar fud na háite. Deireann bean an tí liom beagáinín oragáin a thabhairt isteach chuici don sailéad nó bileog rí-lusa don anlann trátaí. Ní aithneoinnse oragán ó rí-lus mar sin bíonn orm gach rud a bhlaiseadh féachaint an mbeadh fhios agam céard a d'oirfeadh d'anlann trátaí nó do shailéad. Ní ghearrann sí riamh na lusa ach iad a stracadh. Mhillfeadh gearradh an blas. Ní úsáidfeadh sí riamh lusa triomaithe, agus fiú amháin an sáiste a bheadh fágtha ó ae laoióige an lóin ní chuirfeadh sí san insalata mista don suipéar é. Ach amach liomsa, sioc, síon nó

sneachta, le píosa úr a fháil. Phioc mé fleasc bheag
cróicíní buí lá amháin agus chuir mé i bpota iad
ar an mbord. Ba dhóbair di mé mharú. B'shin
saffron don anraith éisc. Ní ceadaítear sa teach
ach goirmíní agus nóiníní. Is don chistin gach rud
eile. Tá finéal ann le hithe tar éis béile agus aiteal
don choileach coille agus miortal don 'Taccula.'
Rud álainn é seo: smóilíní rósta agus ansin curtha
i máilíní lán de bhileoga miortail. Cuirtear ar
do phláta iad, máilíní agus uile. Ní raibh fhios
agam gur smólach a bhí ann nó ní íosfainn é. Ní
thabharfadh siad riamh trátaí duit gan miontas orthu

—agus íle agus piobar dubh (baintear an mush i gcónaí as lár an tráta agus caitear amach é). Cuirtear miontas freisin ar mhiosarúin (amh agus gearrtha go mion), le híle agus sú líomóide—é seo le hithe le brollaigh shicíní friochta in im agus cáis; nó le sicín stofa i mbainne. Ní fhaca mé chips anseo riamh ach bíonn sailéad fataí acu go minic. Ní hionann é seo agus an mayonnaise mush a díoltar sa bhaile ach prátaí crua, díoslaithe, le beagán íle, salann agus piobar dubh.

D'fhéadfá bliain a chaitheamh san Iodáil gan an rud céanna a ithe faoi dhó agus bíonn an chócaireacht éagsúil ar fad i ngach ceantar. Bíonn sé go hálainn, cuma bistecca alla Fiorentina (dóthain stecca do chlann sa bhaile, déanta ar thine adhmaid, gan maisiú ná glasraí ná faic) nó ossi bucchi—boogey woogey a thugaimse air (stobhadh de chnámh smeara le fíon bán agus cneas líomóide).

Ach tá rud amháin nach féidir leo a dhéanamh leath chomh maith liom féin agus sin oimléad. (Actually I'm rather good at it!) Bíonn na hoimléid i gcónaí trom anseo agus níl fhios agam cé an fáth. Agus bíonn rud eile acu nach n-íosfadh Cití an Cat seo againne, agus sin octapas—nó cuttle-fish nó squid. Níl fhios agam cé acu cé acu—iad ar fad cosach, iad ar fad ar nós gum Meiriceánach. Bíonn tú ag cogaint is ag cogaint agus ní bhíonn deireadh leis riamh. Cloisim gur ag cogaint cuttle-fish a fuair Diogenes an Sinic bás.

Is annamh a bhíonn creamh sa chócaireacht . . . Ach d'fhéadfainn scríobh go maidin ar na rudaí a bhíonn acu. Toasted anchovies, white truffles (amh) le party a dhéanamh as arán agus cáis, agus na spíosraí: clóibhíní i mairteoil stofa, agus nutmeg le cáis uachtair, agus cinnamon sa chompôte de fruits. Agus Rosemary (for Remembrance) ar gach rud. An banbhín sa mhargadh bíonn rósmhuire ina shróin aige agus bíonn píosa de i bpoll a chnaipe ag an gcois uain nó mar hata ar an sicín. Agus ar ndóigh bíonn an fíon acu le blas nua speisialta a chur ar gach rud. Ach mar sin féin, is minic a smaoiním ar an slisín agus ubh a thugadh tú dom sa leaba maidin Domhnaigh, agus ar chaiscín agus cáca cuiríní, agus na gliomaigh ón gCeathrú Rua agus an phuins a dhéanann Pop agus toirtín úll Mrs. S. Agus níl aon duine san Iodáil ná beo a dhéanann císte milis ar nós Bríghidín.

Cé gur mhaith liom an lá go léir a chaitheamh

sa chistin le Signora Fifi, ar son na cúise téim anois is arís ag déanamh potaí san Accademia. Tar éis an tsaoil cé an mhaith bia gan potaí lena chur iontu? Agus déarfadh Mommom gurbh é manadh Mímhí 'Fidelis ad urnam'!

Tá an Accademia sean agus stairiúil agus is iomaí sean-mháistir a chaith tréimhse ag staidéar ann agus i ngach tarraiceán tá píosa beag líníochta nó woodcut a rinne boc mór éigin le linn a óige. Cúrsa samhraidh a tá ar siúl ann anois. Tá 10 mic léinn agus 12 múinteoirí ann, iad go léir stuama agus dáiríre. Ní hionann agus Sesto. Deineann siad gréithre ealaíonta—ard, caol agus éiginnte. Tá siad féin sórt ard, caol agus éiginnte freisin—with a lean and hungry look. (Pale and interesting, a déarfadh Peig.) Ba mhaith liom an lean and hungry look mé féin ach tá sé deacair orm san aimsir seo agus le cócaireacht Signora F. Bíonn Arty Parties acu go minic eatarthu féin—ní mheascann siad leis an dream neamheal-aíonta. De réir mar théann an oíche ar aghaidh éiríonn siad níos agus níos éiginnte agus níos agus níos intense. Agus ar ndóigh nuair a fhaighimse dóthain le n-ól tig liom bheith chomh héiginnte nó chomh hintense le duine ar bith, mar sin bíonn high times agam. Ní mhothaíonn siad riamh an teas. Geansaíonna móra tiubha a bhíonn orthu i gcónaí. Trua nár rug mé liom mo cheann Árannach agus mo stocaí báinín! Bhí taispeántas ag beirt acu anseo i bPerugia de na hoibreacha arda caola éiginnte agus chuir siad isteach dhá phota a bhí déanta agamsa agus dhíol siad iad ar £2-10s agus £1 agus bhí mé an-sásta. Chuaigh muid chuig an *Cantina* an oíche sin agus bhí bean an tí chomh tógtha sin liom gur dhearmad sí an t-alarm clock ar 10.30.

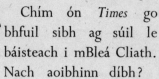

Chím ón *Times* go bhfuil sibh ag súil le báisteach i mBleá Cliath. Nach aoibhinn díbh?

Grá,
Úna

I.S. Deir mo chara seanda: 'When I was your age I'd had two husbands and was contemplating a third. Marriage does a girl good—especially if he's rich, but don't have children, they'd interfere with your work.

Napoli

Diardaoin

Meán Fómhair 12

A Eibhlín a ghrá,

San Iodáil bíonn flúirse traenacha agus busanna ann mall san oíche nó luath ar maidin—i rith an lae, faic. Mar sin, le breacadh lae a d'fhág mé Perugia ag triall ar an Róimh. Thug na Fifí geansaí álainn urlaic-ghlas dom ar eagla an mal da fegato (an t-ae is ciontach le gach olc anseo) agus bia seachtaine, mar go mbeadh gach rud chomh daor sin sa Róimh, agus phóg siad (ar an dá thaobh) mé (cé go mbeidh mé ag dul ar ais chucu i gceann cúpla seachtain), agus tháinig siad ar fad—ina scórtha—chuig an mbus. Sa Róimh chaith mé cúig lá. Tá sí mór agus maorga, agus gránna. Tá go leor áiteanna agus rudaí deasa inti ach iad plúchta ag an Baroque grandeur, fuaráin ag slap-adáil ag gach cúinne—agus gan trí deora uisce sna sconnaí. Aingil órga agus cherubini ramhra. Tá an Róimh lofa (ainneoin an Athar Rónaofa). Tá sé le feiceáil sna daoine. Níl aghaidh fholláin ghlan san áit. Chaith mé maidin sa Chaffe Greco —an ceann is faiseanta sa Róimh, an áit a thagann na hIntleachtóirí le chéile—ag breathnú ar na daoine a tháinig isteach. Bhí sé díreach ar nós an áit Spioradúlach sin i Sr. H.—tinneas agus olc i ngach aghaidh.

Chaith mé cúig lá ansin agus san am seo bhí dhá stailc bhus gan fógra acu. De réir dealraimh bíonn siad seo acu go rialta. Dhá uair an chloig a lean stailc amháin, ach cé gur cuireadh gach sórt tin lizzie ar an mbóthar le linn an ama seo thóg sé trí uair an chloig eile an ghnáthsheirbhís a chur ag obair arís. Cheap mé gurbh fhearr gan dul i tin lizzie. (Deireadh Mama i gcónaí nach ceart stailc a bhriseadh, cuma céard.) Mar sin d'fhan mé (i dtábhairne, ar ndóigh) i bhfad i ndiaidh deireadh na stailce do mo bhus. Ach ba mhór an spraoi é. Bhí gach duine gealgháireach. Nuair a thagadh bus, amach linn go léir ach bheadh sé lán go doras—daoine ar an mboinéad agus uile, mar sin isteach linn sa tábhairne arís. Fá dheireadh, tógadh isteach i mbus mé leis an slua, ach bhí sé chomh

plúchta le daoine gur tógadh na mílte as mo
bhealach mé sarar éirigh liom teacht amach.
Níor íoc aon duine táille. Le cloisteáil os cionn
an rírá sa bhus bhí *The Wild Colonial Boy*, á
chanadh i gcanúint bhreá Iodálach.

- Chonaic mé crib sa Róimh. (Seastán buan a
bhí ann—ní hé go raibh an Nollaig ag teacht.)
Taobh thiar de Theampall S.S. Cosmus agus Da-
mien, 300 bliain a tá sé ansin. Ní raibh mórán
cráifeachta ag baint leis ach bhí sé go hálainn. Mór
millteach a bhí sé—an Tír Naofa ar fad. Bí
ag trácht ar Panorama of Scenic Grandeur!
Agus muintir na Tíre Naofa i mbun a gcuid gnótha.
Gach mionrud déanta go healaíonta. Bhí orm
íoc lena fheiceáil. D'fhéachadar le hamhras ar
mo Chultural Identity Card. Is iontach an rud
é an C.I.C. de ghnáth. Osclaíonn sé gach sórt
dorais dom agus bíonn gach duine cinnte gur ar a
laghad Ambassadoressa as críocha in imigéin mé.

Tá Eaglais N. Peadar chomh gránna le haon rud
dá bhfaca mé riamh. Ar an urlár tá marcáilte
acu toisí teampaill mhóra eile an domhain. Níor
ghá dhóibh. Is mór an náire *Pietà* álainn Mhichel-
angelo a bheith sa feic seo.

Tá na mílte puisíní liath sa Róimh. Sna foirgnimh stairiúla go léir bíonn siad ag spraoi is ag troid is ag ithe. Tagann Roma ar fad le blúiríni bia dóibh.

Tá go leor taverne deasa sa Róimh. Iad seanda agus beag, sna cúlsráideanna: an *Tre Re* os cionn stua, ag barr staighre bhídigh; an *Tre Ladroni*; *Checco il Carretterie*, ar nós coinigéir; agus *Alfredo's* —ina dtugtar do chuid duit le spúnóg agus gabhlóg óir. Ach tá fhios ag an Ufficio de Turisimo fúthu go léir agus bíonn fógraí iontu faoin réalt scannán nó an prionsa a d'ith a chuid spaghetti ansin.

Chuaigh mé amach ar an Via Appia ag lorg iontas na Róimhe mar a bhí ach ní fhaca mé faic, agus chuig an *E.U.R.* le hiontas na Róimhe mar a tá a fheiceáil—áit taispeántais millteach mór a tá anseo. Tá sé ard agus geal agus folamh, ar nós rud éigin as Mars.

Mar sin d'fhág mé an Róimh agus chuaigh mé amach fán tír chuig feirm agus chaith mé lá ag sábháil mellanzane (níor casadh orm riamh i mBéarla iad, eggplant seans). Thosaigh muid ar 5.30 a.m. agus níor stop go dorchadas na hoíche (¾ uaire faoi dhó le hithe). Bhí mé ag braith seachtain à chaitheamh ach ag deireadh an lae bhí bolgóidí orm ón ngrian agus welts ón obair agus cheap mé go raibh mo chuid téasc go léir sleamhnaithe. An tseanaois is dócha. Thug siad chuig an traen mé sa chairt bhuffalo, agus thugadar buidéal den home brew dom agus ciseán bia ar eagla go mbeadh goile agam ar an mbóthar go Napoli.

Shroich mé Napoli um thráthnóna. Tá brú na hóige ard ar an gcnoc agus radharc amach uaim ar an mBá Álainn. Amárach chífidh mé cé chomh hálainn is a tá sé.

Grá ó
Úna

A Eibhlín a ghrá,

Má tá an Róimh mífholláin, tá Napoli barbarach ceart. Na mná tútach agus ag sileadh óir nó slaod. Na fir bog-ramhar, glic agus pawing. Phawfadh siad rud ar bith ar a mbeadh sciorta eachtrannach agus tá fhios ag Dia nach bhfuil aon rud i Napoli chomh heachtrannach le stríocaí bhréidín Mhillar. Leagfadh siad sa tsráid tú le seans a fháil tú phiocadh suas. Fágaim buíon de lorgnaí ciceáilte agus méara coise brúite ar mo lorg. Bíonn gach áit plúchta, mar sin ní bhíonn seans agat. Sa Róimh bíonn siad ag iarraidh an luí gréine a thaispeáint duit—anseo bíonn siad ag iarraidh tú phósadh. (Tá siad le blianta ag cuardach díreach do leithéidse de anamchara agus tá villa acu ar an gcnoc agus barca sa gholfo. Anois céard eile a theastódh ó dhuine?) Agus an dearóile sna cúlsráideanna agus an bochtanas agus an puiteach. Na páistí—na mílte acu, carrach, raicíteach, ocrach. Osclaíonn na tithe amach ar an sráid. Istigh bíonn seomra lán le leapacha—fear ina chodladh i ngach leaba acu.

Ar an sráid bíonn na mná ag obair go dian—ag iarnáil, ag déanamh bróga nó miteoga, ag cócaireacht. Tagann loraí agus bíonn ruaille-buaille—sáspain agus potaí agus innill fhuála á gcarnadh isteach.

An tseachtain seo tá Festa ar siúl—in onóir don Mhaighdean Mhuire, ach an créatúr, is beag baint a tá aici leis. Na daoine go léir go bríomhar, iad ag cantain (guthanna áille acu), brait crochta agus lóchrainn, na cailíní beaga gléasta i bpáipéar crêpe (fillteáin agus pléataí agus fonsaí—mar a bheadh síoda). Uilig ar an spraoi—chun diabhail leis an mbocht-anas. (Ach deirtear nach amhlaidh a bhíonn sé agus an Festa thart.) Gach oíche bíonn carnabhal—tóiteáin, ragairne, raic. Timpeall 100 carbad ina mbuíon ag gluaiseacht timpeall an bhaile agus saoth-ar ealaíne gach ceann acu. Ceann acu

á tharraingt ag gliomach mór—crúba agus mothóirí a líon an tsráid. Súile móra lasta á roghláil thart aige. Margadh an éisc a réitigh an ceann seo agus bhí fómhar iomlán na farraige le feiceáil air. I lár, octapas, na céadta cosa ar foluain aige (centapas?) agus rann mara meidhreach á chantain aige. Timpeall air na ruacáin agus na mussels ag clataráil tambourini.

Tá an bia go hiontach. Taverne beaga i ngach áit, gan cuma ar bith orthu. Boird timpeall ar an sorn. Níl aon trácht ar mhenu. Tagann fear an tí agus mám de rud éigin i ngach láimh aige —We have involtini today—and the tripe . . . —agus sin agat é. Na hanlainn—bíonn ribe ráibéis acu faoi anlann de mhiosarúin agus tuniasc le ollaí dubha, duilleog labhrais agus rósmhuire mar chuimhneachán. É go léir rósta te agus ag snámh in im faoi chlúdach de chnóite brúite. Le n-ól Deora Dé nó Sí-uisce.

Ní mar seo a ithim gach lá. De ghnáth bíonn luach 6d de fígí agus 7d de cháis agam le luach 3d de vino—uilig i bplás an mhargaidh, chomh fada agus is féidir dul ó bholadh an bhia álainn a bhíonn i ngach sráid gach tráth de ló is d'oíche.

Ní bochtanas ar fad a tá i Napoli. Cuid mhór de na daoine tá siad saibhir. Níl mórán idir eatar-thu. Ach tá gach áit bréag-ghalánta agus suarach —feistithe do na fámairí. Santa Lucia, a bhfuil clú chomh hard sin air: caféanna móra, feiceál-acha, costasacha; yachtanna agus mná móra, feic-eálacha, costasacha; soilse geala agus bunting. Níl aon chomparáid idir Chuan Napoli agus Cill Iníon Luinigh (ní shin le rá gur maith liomsa Cill Iníon Luinigh)—fiú amháin dá mbainfí an feistiú.

Aon suim a bhí riamh agam i gcultúr, tá sí caillte agam ó tháinig mé go dtí an Iodáil. Níor fhoghlaim mé mórán Iodáilise ná potaireachta fiú amháin ach tá go leor rudaí le foghlaim ón taithí nach bhfuil sna Treoir-Leabhair—mo léan! Is féidir uisce a ól as aon seansconna nó fuarán nuair nach mbíonn luach vino ag duine, agus torthaí a ithe díreach ón margadh gan iad a ní agus gan bás a fháil ar an bpointe ná fiú mal da fegato; is féidir do chuid gruaige a ní sách maith

i ngalún uisce préachta fuar agus Tido. Ach ní
raghainn ag snámh i gCuan Álainn Napoli, a tá
bréan le fual na mílte, mar a dhéanann lucht lean-
úna an tsláinteachais as Meiriceá, ina gcuid bikíní.

Ní thiomáinfeadh an diabhal féin mé go Capri,
ach chuaigh mé go Sorrento—Brí Chualann in
gorgeous technicolor—hurdy gurdies agus pano-
ramic drives. Rud amháin a thaithnigh liom
ann—tá ribíní dearga ina gcuid gruaige ag na
hasail go léir agus cloigíní airgid. Thart píosa
ó Sorrento tá Amalfi—áit álainn fhiáin, sléibhte
ag ardú díreach as an bhfarraige. Ach ar ndóigh
níor scríobhadh fós *Fill ar Amalfi*, mar sin ní
raibh fámaire ná cuimhneachán le feiceáil (ní
áireofaí mise).

Tá mé ag cur fúm na laethe seo i mBrúnna na
hÓige agus is iontach na cineáil a bhíonn iontu.
Beirt óg-údar as an nGréig, ar nós Chríost Céasta
agus Naomh Jerome san Fhásach; buachaillín
caoin as an bPeirs; cailín as an Íoslainn, ramhar,
slím agus lonrach—ar nós róin; fianna as an Lap-
lainn; mic léinn uaisle as Cambridge a mbíonn
alltacht orthu nuair éalaíonn na hItaliani gan
íoc. A life and soul of the party as Éirinn agus
na scórtha Berengarianna. Gan trácht ar an

bhfear as an bPacastáin a deir má phósaim é nach
mbacfaidh sé níos mó leis an mbeirt bhan a tá
aige thall.

De ghnáth bíonn na brúnna lán ach chuaigh
mé chuig ceann nár leagadh cois daonna ann le
10 mbliana. Carcar a bhí ann, faoi theach ósta
saibhir ar thaobh sléibhe. Thug an bellboy síos
mé—brait urláir doimhne agus cathaoireacha a
bhí crochta ar an aer, chomh fada is a d'fhéadfá
a fheiceáil, agus arsa mise 'Ní féidir . . .', agus
ceart go leor níorbh fhéidir. Chuaigh muid
síos, síos, agus thíos bhí seomra mór, tais, uaig-
neach; timpeall 100 leaba fillte go néata ann,
duáin alla socraithe síos iontu. Rith francach
isteach sa chúinne agus dúirt an bellboy—whipper-
snapper i gcnaipí práis—nár ghá go mbeadh faitíos
ar an Signorina mar go gcaithfeadh seisean an
oíche léi. Ina dhiaidh sin d'imigh mé. Bhí
taverna thíos an bóthar píosa agus thug siad leaba
dom agus béile mór agus ní thógfadh siad aon
airgead agus thaispeáin siad pictiúir a sinsear dom
agus d'inis a stair dom. Ghearr siad an t-áitreabh
as sleas an chnoic. Thóg siad an teach iad féin,
cloch ar chloch, gach duine acu ag cuidiú, ón
bpáiste chúig mbliana suas, agus anois bhíodh

gnó fiúntach acu, sa tsamhradh. Sa gheimhreadh
ní thagadh an bóthar ach amháin Gearmánaigh:
tuigeann siad siúd an Iodáilis go maith i gcónaí—
gach rud ach amháin an bille. Anois cuireann siad
dhá luach ar gach rud nuair a thagann Volkswagen.

Thug mé cuairt lá amháin ar spa—féachaint
cé an sórt cancaráin a chaithfeadh a chuid ama
agus a chuid airgid ina leithéid d'áit. Ach ní
raibh cancarán san áit. Iad chomh folláin is a
d'iarrfá. Tagann siad, dúirt bean liom, mar
gheall ar an gceol agus an foscadh (ón ngrian)
agus bíonn sé go deas do na páistí. Bhlais mé na
huiscí mianraí—bhí timpeall 20 sconna ann agus
teideal éagsúil ar gach ceann—nimh cheart a bhí
iontu.

Bíonn na páistí anseo freisin ag spraoi
Rince-Rince-Róisín agus Dallaphúicín agus
sórt cluiche póiríní.

Anocht tá mé ag dul ar bhád buffalo go dtí an tSicil. Ní chosnaíonn sé puinn agus stopann sé ag scór oileán beag ar an mbealach. Deir na Napolitani go bhfuil muintir na Sicile fiáin; má deir, caithfidh go bhfuil siad olc go leor. Ach tá garda agam—Meiriceánach arty a chaitheann féasóg agus jeans: 'It's all such fun—but they'll never believe me when I tell them back home.' Robert is ainm dó. B'as Gaillimh dá sheanathair.

Tugann An Óige ar fad cuireadh dom dul go dtí an Astráil nó an Laplainn nó where have you —agus i gcúiteamh a gcuiridh bíonn ormsa a rá: 'Well, you must come to Ireland.' Mínim, áfach, go mbíonn na leapacha crua, mar sin seans nach dtiocfaidh siad. Tá sórt faitís orthu ar aon nós faoin gCogadh idir an Tuaisceart agus an Deisceart: 'Did you come away in case of conscription?'

Tá na péiríní deilgneacha 'istigh.' Toradh an  chactais. Cheap mé go mbeadh blas aisteach éagsúil orthu— ach níl blas ar bith—absoluto. An chéad cheann a chonaic mé, phioc mé suas é féachaint an raibh sé bog—fámaire ceart. Tá na deilgní i mo chuid méara ó shin. Níos measa i bhfad ná aiteann. Iad seo a bhíonn acu ar bharr na mballaí in áit ghloine briste.

Tá féilí na bhfíonchaor ag tosnú ar fud na háite. Bíonn an fíon chomh flúirseach leis an uisce sna fuaráin sa Róimh, agus uilig ar chostas an tí. Tá focal álainn acu anseo ar 'ar an spraoi.' Níl fhios agam conas a scríobhtar é ach tá sé ar nós Ligh Lugh Laoghaire. Ceapaim i gcónaí gur focal Gaelach é.

Tá deireadh le mo chuid iriseoireachta do Mheiriceá, mar sin i ndiaidh na Sicile beidh mé ag dul ar ais go Perugia le mo chuid stuif a bhailiú (ag taisteal éadrom anseo—níor thug mé fiú peann). Ansin go Firenze, Páras agus abhaile, agus leis an bhfírinne a rá tá mé tuirseach den imigéin agus go mórmhór de na himigéinithe.

Grá,
Úna

I.S. Coinnigh na trí paimfléid seo dom—níl spás agam dóibh—éadromthaisteal!

A Eibhlín a ghrá,

Níl fhios agam ar scríobh sibh chugam—mar chuaigh mo chuid litreacha ar fad ar strae i Napoli. Litir agam ó Shíle. Feadáilte-suas ceart a tá sí—an créatúr.

Bhuel, chuaigh mé go dtí an tSicil ar mo bhád buffalo. Turas álainn. Stop muid ag gach ceann de na hOileáin Aeólacha le buffalonna a mhalartú. Iad bolcánach, lom. Fiú amháin an gaineamh ar an trá—dubh. Gan aon rud ag fás orthu. Tugtar gach rud isteach ón Mórthír (fiú amháin leitís).

Ag ceann de na hoileáin seo chaill cailín an bád. Bhí muid píosa fada amach nuair a chonaic duine éigin í ag bagairt orainn ón gcé. Cuireadh stop leis an mbád i lár na farraige agus amach léi i mbád rámhaíochta, an bádóir ag iomramh ar nós an diabhail. hÍslíodh dréimire cnáibe agus suas leo, ise ina sciorta teann, an bádóir ina diaidh lena mála agus a pas. Thug an bádóir léim reatha ar ais sa bháidín tréigthe, agus d'ard-aíomar go léir gáir nuair a thuirling sé slán isteach ann. Ar a bealach go Meiriceá a bhí an cailín, an créatúr.

Bhí sórt faitís orm ag dul go Bass Italia i ndiaidh na scéalta ar fad a bhí cloiste agam agus bhí áthas orm faoin bhfear tionlacan Meiriceach cé gur mhinic a náirigh sé mé, chomh drochbhéasach is a bhí sé leis na daoine bochta macánta a casadh orainn. 'Na Yankanna damanta seo,' a déarfadh Mama.

Ach ní raibh sé ró-olc, Robert bocht. Tar éis an tsaoil b'as Gaillimh dá sheanathair! Thuig sé nach raibh fáilte roimh na hAmericani agus mar sin lig sé air gurbh as Éirinn dó. Ní raibh aon fhocal Iodáilise aige ach thaithnigh leis bheith ag caint agus leanfadh sé air, ag labhairt meascáin de Bhéarla agus Spáinnis. Is fearr i bhfad a tuigeadh é siúd ná mise, a tá in ainm a bheith ábalta an lingua a labhairt. Ach bhí féasóg air agus níor thuig siad é seo ar aon chor. Ní chaitheann na hItaliani (fiú amháin na hArty Italiani) féasóg riamh.

—Cé an fáth go ligeann tú dó oiread sin gruaige a chaitheamh? a d'fhiafraíodh siad díomsa.

—Tá féasóg riachtanach in Irlanda, arsa mise, leis an bhfuacht a choinneáil amach.

10 gciníocha a bhí sa tSicil agus is aisteach nár mheasc siad lena chéile mórán. I mbaile beag amháin tá siad dubh, Arabach; i mbaile taobh leis fionn, Normannach; in áit eile rua. Tá ceantar ina labhraítear Gréigis i gcónaí agus i gceantar eile tá go leor, leor focal Arabach sa chanúint acu. (Sna háiteanna a thaithíonn na Turisti Gearmáinis ar fad a tá acu—ach rud nua é sin ar ndóigh.) Deir siad féin go bhfuair siad a gcuid céille ó na hItaliani, a gcuid gliocais ó na hArabaigh, áilleacht ó na Gréagaigh agus mar sin de. An Continente a thugann siad ar an mórthír. Cheapfá gur tír eile ar fad a bhí ansin.

Bhí deireadh le mo chuid iriseoireachta Meiriceánaí agus bhí an bochtanas i réim. Ní maith leis na hAmericani riamh airgead a chur amú, mar sin, chuir mé uaim an t-éirí in airde agus chuaigh muid ag síob-thaisteal. Bhí áthas orm, mar sa chaoi seo d'éirigh linn dul in áiteanna iargúlta (chuig ceantair na dTuristi amháin a théann na traenacha) agus gan dabht tá siad iargúlta. Stop gach sórt dúinn—cairteanna (a stopadh gach cúig nóiméid le dos fíonchaor a thabhairt don chapall), loraithe, limousíní agus otharchairr—ní raibh orainn marcaíocht a iarraidh

fiú. Tá na cairteanna go hálainn. Iad snoite,
péinteáilte, iarann-oibrithe. Post lán-aimsireach
ag triúr ealaíontóirí i ngach ceantar á ndéanamh.
Ó £70 go £150 a chosnaíonn ceann agus maireann
sé 3–5 bliana. Cuma cé chomh bocht is a bhíonn
siad, caitheann siad go leor airgid leis an gcairt
is mó agus is fearr a choinneáil. Na capaill, freisin,
gléasta go péacach. Sciortaí féir, cloigíní agus
ribíní bándearga (balla-phictiúr de Naomh Seoirse
—pátrún na gcapall—i ngach stábla). Na mótair!
Tá mé cinnte nach bhfuil carr sa domhan chomh
maith leis an Fiat. Tiomáintear ar luas mire iad,
cúinní agus uile, agus níor mhothaigh mé riamh
sciorradh ná fiú creath.

Tá an tír saibhir go leor. Torthaí de gach sórt ag fás,
arbhar, corc, mianraí.
Ach é roinnte i bhfeirm-
eacha móra, móra agus
an chuid is mó de na
daoine ag obair orthu ar
fhíorbheagán tuarastail.
Is annamh a bhíonn teach
ar an bhfeirm. Cónaíonn
na hoibrithe go léir le
chéile i dtithe beaga

bídeacha ar bharr cnoic. Seomra amháin agus
scioból a bhíonn acu—agus ní fheicfeá aon
dífríocht eatarthu. Capaillín, gabhar, sicíní (srian
ar chois gach sicín acu), muca, na céadta páistí
—agus suarachas agus dearóile nach bhfaca mé
riamh a mhacsamhail. Agus tá siad fiáin. Má
stopann tú nóiméad bíonn an baile go léir thart
ort ag stánadh, agus leanann siad na mílte thú.
Ach ar an taobh eile, tá siad chomh deas agus
chomh macánta sin. Thabharfadh siad isteach
sa bhothán tú le go ligfeá do scíth, agus gheofá
gloine fíona, mám fíonchaor—nó pé rud a bheadh
acu. Agus muid ag ithe i taverna thiocfadh buidéal
fíona nó mála fígí, i gcónaí, ó bhord eile—do na
strainséirí. Bhí mé ag ceannach bainne maidin
amháin—díreach ón mbó isteach i mo sháspan,
agus gan focal a rá tháinig bean agus dhoirt sí
babhla caife isteach ann agus d'imigh léi (agus
tá caife chomh daor anseo). Bhí muid ag fiosrú
faoi cheimiceoir lá eile do neascóid a bhí ar
Robert agus tháinig fear le perocsaid agus plástar
dá chuid féin. Na daoine a thug síobanna dúinn,
thabharfadh siad i gcónaí béile nó caife dúinn agus
dá mba an oíche a bheadh ann, leapacha. Sa teach
dá mbeadh spás, nó sa scioból féir, nó sa charr.

Chuir fear amháin ina shiopa crua-earraí muid: scriúnna agus bóltaí agus sé cinn de leapacha breátha agus buidéal fíona ar eagla go mbeadh tart orainn. (Gheall mé dó go gcuirfinn cailín Éireannach amach chuige le pósadh—ceann ar mo nós féin a ba mhaith leis—í timpeall 20!) Fear eile, bhí monarcha bhrioscaí aige agus chodail muid ansin—gach deis nua-aimsearach, maraon le brioscaí. In áit eile thug an máistir stáisiúin leapacha dúinn. Uisce ann le mo bhrístín a níochán agus chroch mé ar sceach an stáisiúin é. (Níl aon trácht ar uisce sa tSicil.)

Oíche eile chuir na Daonfhlathaigh Chríostaí sa teach ósta ab fhearr sa tsráidbhaile muid—ar chostas an pháirtí! Agus an iontaoibh a chuireann siad go léir ionat! Níl aithne agam ar aon duine a d'fhágfadh a shlí bheatha go hiomlán fá do chúram mar a dhein muintir na Sicile—ach amháin ár bPop. Agus an diabhal Americano! An t-am go léir bhí sé amhrasach. Ach is léir nach macánta a tá siad ar fad sa tSicil. An Gang Idirnáisiúnta is mó sa domhan, is cosúil gur sa tSicil a tá a cheanncheathrúna.

Fuair muid go leor síobanna ó Fascisti, a tá láidir go maith fós sa tSicil. Ar ndóigh dhein

Mussolini go leor do na bochta anseo. Thóg sé tithe ar fud na háite do na hoibrithe bóthair a bhí i bhfad as baile, le codladh agus ithe iontu saor in aisce. Tithe deasa, slachtmhara; iad ar fad péinteáilte ar dhath fola. Agus ní fios céard eile a rinne sé. Na daoine saibhre a chas orainn, ba Dhaonfhlathaigh Chríostaí iad.

Bhí an t-aonach bliantúil ar siúl i go leor bailte beaga. Díreach mar a bheadh sa bhaile. Seáinín Saor ag robáil chuile dhuine. Fear lus, agus leigheas aige ar gach olc ach amháin L'Asiatica. Pingin an ádha agus deoch leis an margadh a bheannú.

5 a.m., amach leis na fir sna páirceanna ar na capaillíní. Clócaí gorm ríoga fáiscthe thart orthu. Dubh is mó a chaitheann na mná. Sa bhaile a bhíonn na mná i gcónaí. Taobh amuigh de Phalermo, ní fheicfeá bean i gcafé agus ar éigin a d'fheicfeá ceann sa tsráid. Iad go léir gnóthach ag soláthar Italianíní. Na daoine óga ar fad ag dul go Sasana nó Meiriceá, ag lorg oibre. Tagann na beartanna Meiriceá abhaile le léinte buachaillí-bó agus sciortaí veilvéid agus anois is arís tagann duine den lucht imirce—an duine gur éirigh leis —abhaile chuig an mbothán sa Chrysler is mó,

is-bándearg-agus-is-goirme, dá bhfaca tú riamh, hata mór air agus camera leis.

Ar fud na háite tá Tempi Gréagacha agus An-fiteatri Rómhánacha, maille le souvenirs agus Turisti. Taobh le gach ceann tá Brú Óige den chineál is ollmhaitheasaí. Gach deis nua-aimsear-ach, ach gan moráltacht ar bith. Más le fear a thagann tú, seomra dúbailte a thaispeáineann siad duit.

An bia go hiontach, ach amháin na hór-éisc a d'ith muid lá amháin. Blas díreach ar nós ór-éisc. Arán ar nós flapjacks Mhama, fíon chomh láidir le poitín. Gach sórt deoch líomóide le oighre bhrúite, chuirfidís tart ort. Agus na héisc shliogáin . . . Ach tá bia daor anseo mar a tá in Alt Italia agus níl fhios agam conas is féidir leo maireachtáil ar chor ar bith. Ach ar ndóigh ní féidir leo. Tá páistí ag fáil bháis le hocras agus iad siúd a mhaireann, bíonn raicíteas orthu nó eitinn agus bíonn siad beag, mílítheach, spotach.

Tá an tír go deas—machairí leathana, aillte garbha—ach é ar fad ar dhath dusta. Níl aon aiteann ná fraoch ar na carraigeacha. Tá geraniums fiáine agus rudaí eile exotica ag fás ar thaobh an bhóthair, ach tá sé sórt leamh. Níl aon fhiáin-áilleacht mar a tá i gConamara. Agus, taobh amuigh den Mheánmhuir dhochreidte ghorm, níl deoir uisce—cúrsaí abhann go leor ach iad go léir tirim. Chuir muid tuairisc áit snámha lá amháin. Thóg seanbhean láimh liom agus rug léi síos an aill charraigeach muid chuig cuan beag deas. Ach mhínigh sí go cúramach dá dtagadh muid slán as an uisce go mba cheart dúinn buíochas a ghabháil le Dia sa tséipéal a bhí ar bharr na haille.

Bíonn fáinne glas timpeall na gréine agus í ag dul faoi anseo agus tá muintir na Sicile an-mhórál-ach as, ach is ar éigin a d'fheicfeá é agus ní raibh fhios agam faoi. Chuir fear amach as an gcarr tráthnóna amháin muid leis an tramonto iontach a fheiceáil.

—Ó, nach álainn buí agus dearg a tá sé, arsa

mise. Ní raibh fhios agam ag an am cé an fáth go raibh díomá ina ghuth nuair a d'fhreagair sé:

—Sea, nach álainn glas a tá sé.

Bhailigh muid go leor cultúir sa tSicil, freisin. Níor bhac muid mórán leis na gaileiríthe agus na heaglaisí. Ach chonaic muid go leor tempi a bhí ag titim agus a bhí tite as a chéile. Agus in áit ámháin (Piazza Armerina) bhí seandabhaigh Rómhánacha á dtochailt acu. Bhí sé seo go hálainn. Bhí sé ag báisteach agus bhí uisce ar na mosáicí go léir. Ar ndóigh is le breathnú orthu faoin uisce a ceapadh iad. Bhí na dathanna chomh geal. I bpluais, in aice le sean-tempio éigin, fuair muid seanfhear liath, cromtha agus é ag déanamh rópaí. Cheapfá go raibh sé ansin ón seanaimsir. B'fhéidir go raibh.

Is mór an crá croí na gardaí sa tSicil! Ní raibh lá agus muid amuigh faoin tír nár stopadh 'ár' gcarr le go scrúdófaí ár gcuid cártaí aitheantais. Bíonn ar na hItaliani iad a iompar leo i gcónaí.

I ndiaidh na Sicile, chuaigh muid sa bhád iomluchta (ar 7d) go Calabria. Má tá an tSicil salach níl aon fhocal agam ar Chalabria. Bass Italia Bassissima. An talamh bocht agus salach. Na daoine bocht agus salach. Aistriú mór ó na slumanna ar siúl anseo ag an rialtas. Na feirmeacha móra roinnte agus tithe bídeacha, gránna, ildaite scaipthe ar nós cuma liom. Níl aon aibhléis iontu. Sconnaí ach dheamhan uisce. Níl acu ach an ghrian agus is bocht an rud an ghrian a bhíonn ag taithneamh ar dhearóile. Na daoine a chas orainn, bhíodar fiáin gan a bheith macánta. Ach amháin an fear a thug 10 míle as a shlí muid. Dúirt sé seans go bhfanfadh muid seachtain gan síob a fháil i gCalabria.

Thóg muid bóthar an chósta ist oíche agus bhí sé go han-deas. An bóthar ard ar aill, agus thíos fúinn san fharraige na céadta solas. Téann na hiascairí amach san oíche le soilse (leis na héisc a dhalladh). Ach fá sholas an lae bhí sé go huafásach.

Ansin chuaigh muid go Puglia. Bhí mé ag súil go mbeadh Puglia níos measa fós. Ach a mhalairt de scéal a bhí ann. Tá an ceantar seo

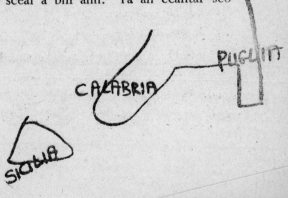

chomh glan! An nóiméad a chuir muid cois
i bPuglia, mhothaigh muid an difríocht. Boladh
díghalrán—rud nár mhothaigh mé cheana san
Iodáil. Na tithe glan, na daoine glan, na mná
amuigh ag sciúradh an chosáin. Níor stán siad
mórán. Níor lean siad muid in aon chor. Cos-
úlacht ar na daoine go raibh intinn acu nó stuaim
éigin ó dhúchas—rud nach bhfaca mé go dtí
seo san Iodáil. Agus níl fhios agam cé an fáth
go mbeadh sé amhlaidh mar tá Puglia i bhfad as
gach áit, nó b'fhéidir gurb é seo an fáth.

Is é Alberobello a mheallann na Turisti chuig an
gceantar. Ach fiú amháin anseo, tá dignit iontu.
Níl siopa cuimhneachán san áit, ná teach ósta
luxury, ná Welcome Stranger in airde. Na tithe
anseo ar fad coirceogach, aoldaite istigh is amuigh
agus ag glioscarnach. Na díonta déanta ar nós na
dtúir chruinne as cloch liath dhorcha, bláthanna
(nóiníní) móra buí i ngach áit. Na sráideanna agus
na hurláir pábháilte agus sciomartha. Dath i
ngach áit—trátaí dearga, agus fígí glasa ag triomú
fán ngrian. Nóiníní buí agus claíocha de lavender.
Crúcaí do na potaí ar na tinteáin ar nós Chona-
mara agus tobar suncáilte ar leac gach dorais. Tá na
tithe seo á ndéanamh ó aimsir adhradh na gréine

anuas. Bhí ceann ar díol, saor. Dá gceannóinn é d'fhéadfainn tithe coirceogacha (potáilte) a dhíol leis na Turisti ach bhí faitíos orm go mbeinn féin coirceogach sar i bhfad. Ní fhaca mé aon rud san Iodáil a thaithnigh liom mar a thaithnigh an sráidbhaile seo.

D'fhág mé mo Mheiriceánach amhrasach i mBari—bhí sé ag dul go dtí an Ghréig agus chuaigh mise suas an Adriatico go dtí Ancona. An chuid seo an-chothrom agus leamh.

Agus ar ais go Perugia agus na Fifi. D'fhan mé leo dhá lá agus inné tháinig mé go Firenze. Tá an geimhreadh tagtha anseo. Na gúnaí cadáis imithe agus bréidíní sna siopaí. Éide dhorcha ar na traffic cops arís. Ag báisteach. Fanfaidh mé anseo deich lá le mo chuid potaí a chur in ord. Súil agam bheith sa bhaile roimh an 19ú. Go dtí sin,

Grá

ó

Úna

A Eibhlín a ghrá,

Tá mé ar mo bhealach abhaile, mar sin má tá Berengaria i mo leaba díbir amach as í.

Thaithnigh an Iodáil go mór liom fhaid is a bhí mé ann agus ba mhór an spraoi dom é, ach san am céanna tá áthas orm bheith ag dul abhaile. Beidh sé go deas bheith ar ais i mBleá Cliath arís. Beidh sé go deas siúl suas agus anuas Sráid Ghrafton agus gan fear ann a thabharfadh faoi deara go ndeachaigh tú an bealach; nó suí i bhFaiche Stiofáin gan strainséir taobh leat ag fógairt go gcaithfidh sé é féin sa loch mura ndéanann tú passeggiata leis nó mura dtéann tú a leaba leis. Agus beidh sé go deas uisce a stealladh isteach sa dabhach gan smaoineamh an mbeidh dóthain fágtha le mo bhrístín a níochán nó leis an spaghetti a bhruth. Agus beidh sé go deas, go speisialta, suí cois tine arís ag cur am amú, mar a déarfadh Mavis, agus a bheith ábalta cuireadh chun tae (nó cibé) a dhiúltú gan dearg-namhaid a dhéanamh duit féin. Ní bhíonn riamh tine san Iodáil, agus fiú amháin dá mbeadh, ní ligfí duit suí os a comhair. Bíonn

ort i gcónaí bheith ag déanamh rud éigin—ag
i the, nó ag ól, nó ag siúl an 'Corso,' nó ag dul
ch uig party, nó ag déanamh grá, nó ag comhrá
fao. in ngrá agus, an rud is deacra liomsa, bíonn
ort bheith lách, geanúil i gcónaí. Ní féidir leat
riamh scaoileadh le do racht agus 'Chun diabhail
leat' a rá. Mar sin tá mé féin agus Zanobi (an
ghríobh- —tá súil agam nach bhfuil sé ligthe i
ndearmad agaibh)—anseo i Londain. Tuirseach
agus salach i ndiaidh dhá lá agus dhá oíche ag
taisteal, agus ag smaoineamh ar an oíche uafásach
a tá romhainn ar an Irish Mail. Na traenacha den
chéad ghrád sa n Iodáil, bíonn siad go hiontach,
ar nós eitleáin, agus díreach chomh daor. Ach ar
an dara grád a tháinig rnise—ar thraen mall, salach
agus fuar, ach ar ndóigh, saor. Nuair a thosaigh
muid bhí páipéar agus téad timpeall ar Z. ach de
réir a chéile stracadh é agus anois tá sé nocht
agus bíonn gach duine á láimhseáil. 'Bhfuil sé
olc?' Níor bhac na fir chustaim leis in aon chor.
Bhí an-díomá orm—mo fhíorsheod ón 17ú céad—
agus an scéal breá a bhí réidh agam dóibh.

Ní dhéanfaidh mé dearmad go deo ar an turas
sin. An oíche a d'fhág mé Firenze, bhí party ag
mo chairde dhom agus chuaigh mé díreach ón

bparty ar an traen ar 1.30 a.m. Shroich muid Milano ar 5 a.m. Bhí sé beartaithe agam an lá a chaitheamh ansin le dul chuig an Triennale, an *Suipéar Deireannach*, na Gailearíthe agus ní fios céard eile, ach bhí mo chloigeann tinn agus murach an Yank a bhí sa charráiste liom, sa tseomra feithimh (céad ghrád) a chaithfinn an lá. Ach dúirt sise go raibh sí tagtha an bealach ar fad as Boston leis an *Suipéar Deireannach* a fheiceáil:

—It's by Leonardo da Vinci you know and I hear it's ever so pretty.

Mar sin, i ndiaidh an bhricfeasta, chuaigh mé léi ag breathnú air agus d'aontaigh mé léi go raibh sé 'ever so pretty.' Ach lig mé di an chuid eile den chultúr a fheiceáil léi féin. Thug mise pas dó. Bhí an lá go hálainn agus shiúl mé thart i measc na gcrann cnó capall agus gach café a chas orm, isteach liom ag ól 'caife coretto'—caife agus rum ann, go dtí tráthnóna, go dtí go raibh sé in am agam dul ar ais chuig an traen.

'Príomhchathair na hEilbhéise' a thugann na Bass Italiani ar Mhilano agus ceart go leor níl mórán den Iodáil ann. Más síol na siopadóirí na Fiorentini, is síol na bhfeidhmeannach muintir Mhilano. Iad an-slíoctha agus iad ag brostú timpeall dóibh féin. Tá an chathair slíoctha freisin. Bealaigh Trasna agus Ná Suítear Carranna agus gach rud glan—na sráideanna, na busanna, na daoine. Na sráideanna déanta as gaineamh-chloch nó cloch dheas dhearg éigin agus í ag lonradh, agus i lár na cathrach an Duomo Gotach ard agus maorga agus é sin ag lonradh freisin. Agus ansin, na crainn cnó capall i ngach áit—buí agus donn agus álainn anois san fhómhar. Ach ní bheadh fhios agat gur san Iodáil a bhí tú in aon chor.

Dúirt Cook's liom go mbeadh dhá uair an chloig agam i bPáras le traenacha athrú agus le beannú do Phier agus le buidéal Cointreau a cheannach, ach as go brách linn go Basel i lár na hoíche agus radharc ar Pháras ní bhfuair mé!

Nuair a chuaigh mé ar ais go Firenze as Perugia is chuig Brú na hÓige a chuaigh mé. Seanvilla a tá acu—ard ar chnoc lasmuigh den chathair. Áit álainn le páirc mhór timpeall uirthi, crainn agus bláthanna agus fuarán. Níor chaith mé ach oíche amháin ann. Ansin bhí sé de mhí-ádh

orm dul amach go teach Corsini le Zanobi agus
mo chlóca agus mo phota salainn a bhailiú. 'Ó!'
ar sise, 'ní féidir leat do sheachtain deireannach
san Iodáil a chaitheamh i mbrú. Tar amach chugainn-
e . . .' Agus céard d'fhéadfainn a rá? Mar sin
bhí mé ag glanadh agus ag cócaireacht agus ag
scríobadh cairéad arís agus gan ach uair an chloig
agam anois agus arís le dul isteach sa chathair.
Bhí Firenze mar a bhí nuair a tháinig mé mí
Feabhra. Fuar agus fliuch ach anois buí dóite
in áit glas. Na héadaí boird línéadaigh i gcafé
na Guibbi Rosse a bhí chomh deas le linn an
tsamhraidh, anois tá an dath imithe astu agus is
ar éigin is féidir 'Fast Colours, Made in Ireland'
a léamh níos mó. Na Turisti agus na mosquitos
imithe agus an chosúlacht ar an gcathair go bhfuil
sí ina codladh go dtiocfaidh an t-earrach arís.
    Chífidh mé sar i bhfad sibh. Go dtí sin,

                              Grá,
                                 ó
                                 Úna

arna chlóbhualadh ag
Sáirséal agus Dill Tóranta
Baile Átha Cliath